D0325021

Todo sobre tus Hijos

Luis González Obregón 5-B
C.P. 06020 Tels: 521-88-70 al 74

Miembro de la Cámara Nacional de la Industria Editorial, Reg. No.115.

1a. Edición Junio 1997.

ISBN 968-15-0128-4

IMPRESO EN MÉXICO
PRINTED IN MÉXICO

Todo sobre tus Hijos

Sara Alcántara

editores mexicanos unidos, s.a.

Embarazo feliz

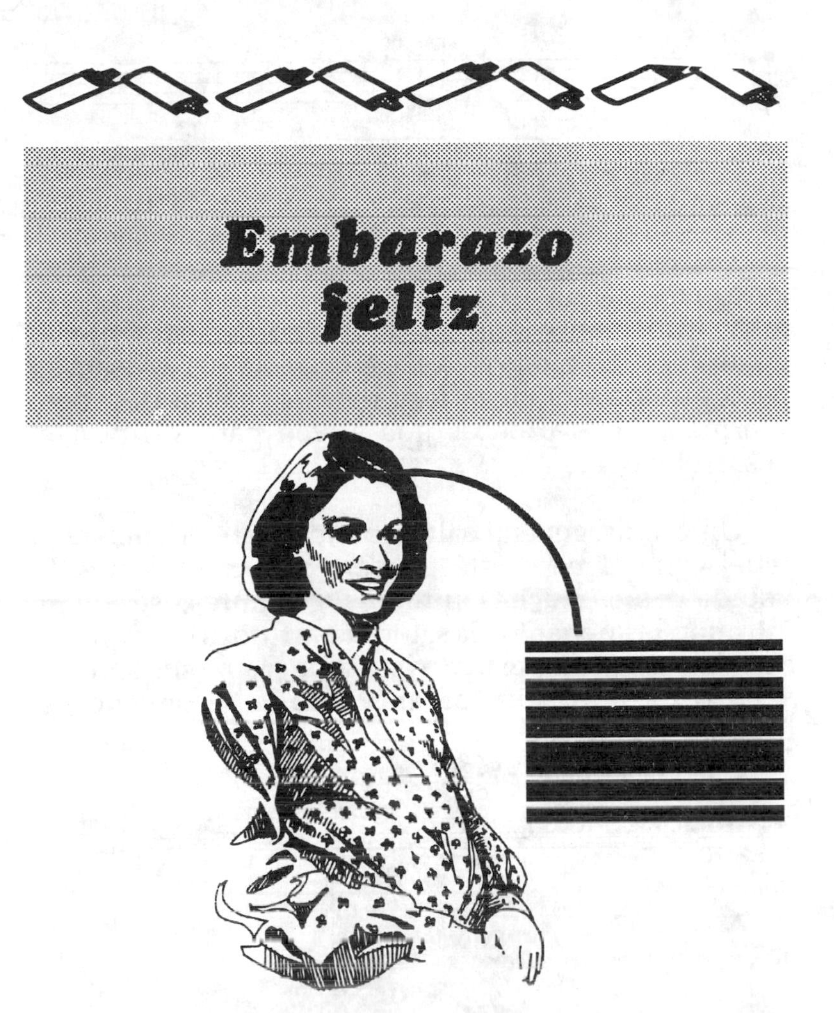

La culminación del amor es el embarazo. En cuanto sospeche que está en esa hermosa etapa debe visitar de inmediato al ginecólogo, quien después de someterla a diversos exámenes, confirmará dicha sospecha. Hay muchas situaciones que favorecen el buen desarrollo del futuro bebé, así como también existen cosas que la mujer embarazada debe saber en cuanto a su propia salud y los cuidados físicos a los que debe someterse.

Importancia de los cuidados prenatales

Para mantener un perfecto desarrollo del futuro bebé, es muy importante que se visite periódicamente al ginecólogo. En cada visita el especialista supervisará su peso, presión sanguínea, le practicará análisis de sangre y orina y otras pruebas que sirven para verificar el desarrollo del feto.

Un estado general saludable durante el embarazo refleja que el bebé está en perfectas condiciones. Si usted, como muchas mujeres gestantes, se siente intranquila en cuanto a la salud de su futuro bebé, puede acudir a un médico experto para que disipe sus temores y en caso de existir una anomalía le recomiende el tratamiento adecuado.

En la actualidad, la medicina cuenta con muchos recursos para el reconocimiento de la futura madre y la prevención de complicaciones y anomalías. La ecografía, por ejemplo, que empieza a ser una prueba casi de rutina, permite seguir el desarrollo del feto y detectar, en su caso, la presencia de mellizos o gemelos. Algunas pacientes, debido al historial familiar o a su edad avanzada, deben ser sometidas a pruebas adicionales que permiten detectar con anticipación el *Síndrome de Down*. Puede usted preguntarle a su médico sobre la necesidad de someterse a esa prueba. Asimismo puede estar tranquila si en su familia nunca se ha presentado esta anomalía o si no ha rebasado los cuarenta años de edad.

En muchos sanatorios y hospitales se imparten cursos de preparación para el parto, con los que las futuras madres aprenden ejercicios de respiración y relajación, así como nociones sobre el cuidado del recién nacido. Son de gran interés porque en ellos enseñan a la madre a com-portarse durante el parto. Con estos cursos se pretende que el padre participe también activamente, e incluso se dedican sesiones "sólo para padres". Se ha comprobado que a mayor participación del padre en la preparación, el parto y el cuidado del recién nacido, se encontrará más animoso y dispuesto a colaborar frente a los inevitables desarreglos de la casa y a las malas noches que hará pasar el recién nacido a los demás miembros de la familia.

La salud durante el embarazo

Para disfrutar de un excelente estado de salud, debe seguir perfectamente las recomendaciones del médico, ya que él es el único quien le puede indicar hasta dónde pueden llegar los esfuerzos físicos que puede realizar, ya que éstos dependen mucho de la constitución física de cada mujer y del tipo de actividades que normalmente desempeña.

Existen algunos deportes que pueden ser adecuados para una mujer embarazada o ejercicios gimnásticos que se pueden practicar en el hogar, siempre bajo la supervisión o autorización médica.

La gimnasia en casa

Para la gimnasia en casa, se sugieren los siguientes ejercicios:

Primer ejercicio

Acostada boca arriba, levantar juntas las piernas extendidas, y el pecho con los brazos hacia adelante; balancearse sobre los glúteos y volver lentamente a la posición inicial.

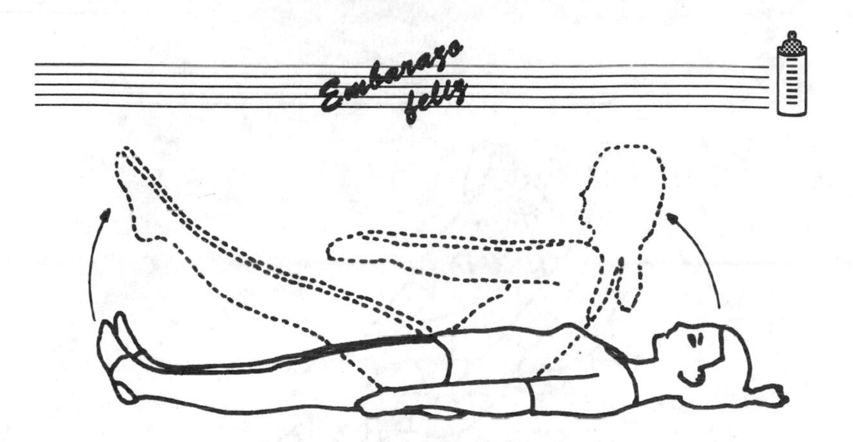

Este ejercicio fortalecerá los músculos del abdomen y mantendrá flexible la columna. Se repite cinco veces.

Segundo ejercicio

Acostada boca arriba, los brazos extendidos a lo largo del cuerpo y las manos sobre los muslos, flexionar las piernas y en esta posición apoyándose sobre los pies y la espalda, levantar lentamente la cadera y volverla a su posición inicial. Este ejercicio fortalecerá los músculos dorsales y glúteos. Repetir cinco veces.

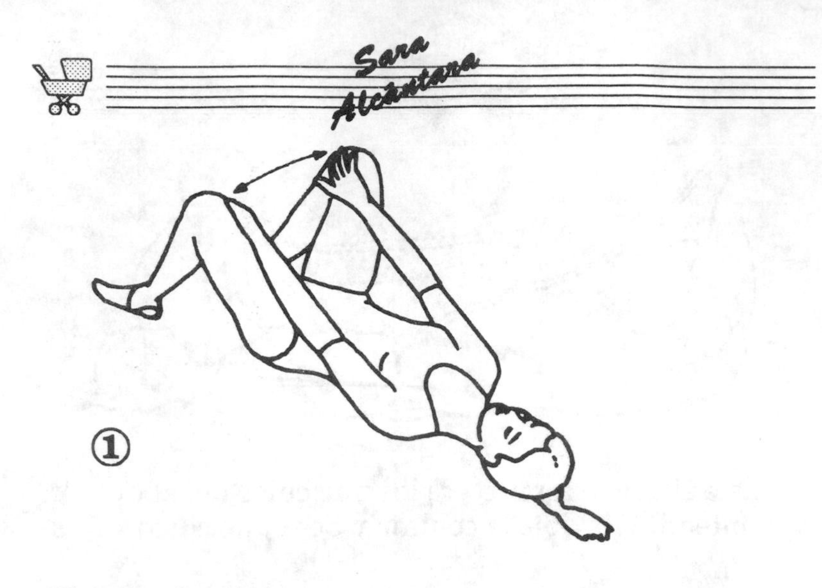

Tercer ejercicio

Acostada boca arriba, manteniendo las piernas flexionadas y separadas, apoyando los pies sobre el piso, ejercer presión de las piernas hacia afuera con las manos en la parte interna de las rodillas con las que se opondrá resistencia. Repetir llevando las manos a la parte externa de las rodillas haciendo presión hacia adentro. Fortifica los glúteos y los músculos internos de los muslos. Repetir cinco veces.

②

Cuarto ejercicio

En posición de loto, juntar las plantas de los pies y, apoyando las manos sobre las rodillas, presionarlas hacia el piso. Tonifica los glúteos y músculos internos de los muslos. Repetir cinco veces.

Quinto ejercicio

Desplazarse sobre las rodillas (gatear) durante quince minutos al día. Deberá descansar de vez en cuando y dormir mucho, sobre todo durante los primeros tres meses de embarazo, ya que esto ayudará a proporcionar suficiente oxígeno al bebé.

Es importante suspender cualquier ejercicio físico o actividad que provoque amenaza de aborto. Si esto sucediera, hay que acudir de inmediato al ginecólogo.

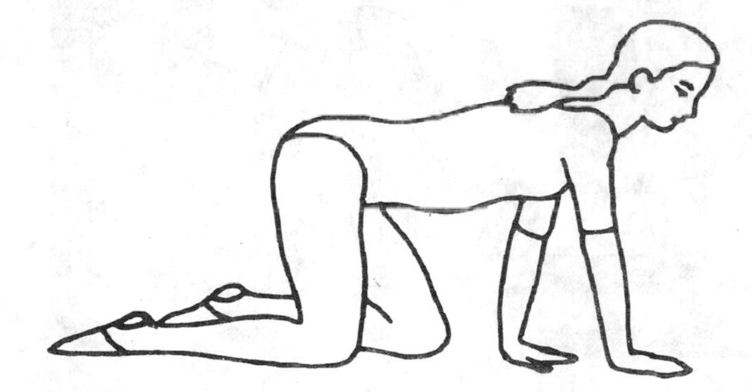

Con respecto a la alimentación de la futura mamá, ésta debe ser equilibrada y nutritiva. Se debe descartar la idea de comer para dos. Procure ingerir a diario medio litro de leche como mínimo para proporcionar al feto el suficiente calcio y fosfato para el perfecto desarrollo de su sistema óseo y dientes.

Durante el embarazo se deben consumir 2,500 calorías aproximadamente. La alimentación en esta etapa debe incluir principalmente alimentos que aporten energías, y asimismo disminuir los que contengan muchas calorías. El feto toma del organismo de la madre lo que necesita para su desarrollo, sin la menor consideración para la madre, por lo tanto, una dieta inadecuada traería consecuencias negativas para la gestante, sin que esto influya en el feto.

La mujer encinta debe consumir todos los días leche, carne, grasas, frutas, verduras, pan y tortillas; todo esto de una manera balanceada. Hay que procurar el consumo de jugos, principalmente de naranja, naturales, ya que esto evita infecciones y enfermedades.

Absténgase de fumar, beber alcohol o drogas.

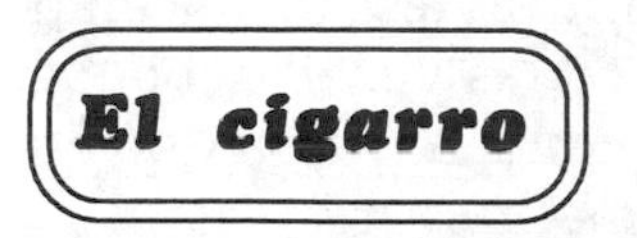

Puede producir en el feto envenenamiento por monóxido de carbono, en pocas cantidades; pero las suficientes como para que su bebé nazca con menor peso y talla que un bebé producto de padres que no fuman. A consecuencia de peso y talla bajos, el bebé estará más propenso a enfermedades. El fumar puede causar también hemorragia en la madre y provocar el aborto espontáneo si el cigarro es consumido durante los primeros tres meses de gestación. Si el cigarro se continúa consumiendo durante el segundo trimestre del embarazo, esta costumbre puede provocar un parto prematuro.

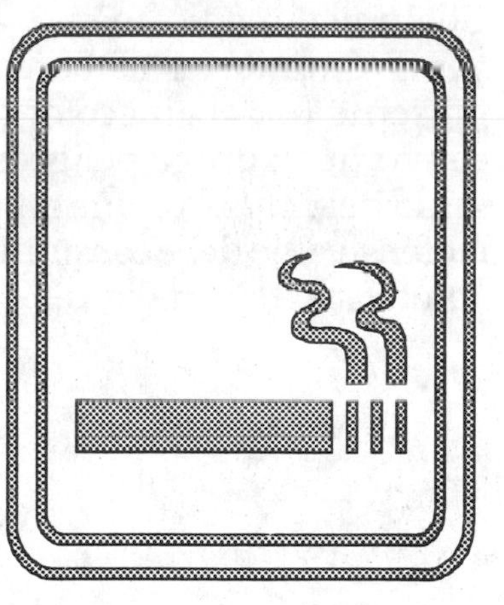

Si las bebidas alcohólicas son consumidas frecuentemente durante el embarazo, se corre el riesgo, al igual que con el consumo de cigarro, de que el bebé nazca más pequeño y bajo de peso o la gestante pierda el producto durante el primer trimestre de embarazo o se provoque un parto prematuro durante el segundo trimestre.

Se ha dicho que el alcohol que consume la mujer embarazada, atraviesa la placenta y está presente en las venas del bebé en la misma concentración que en las de la madre.

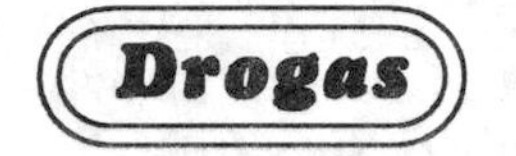

Cualquier medicamento que se consuma durante el embarazo, si no es prescrito por el ginecólogo, se puede convertir en droga peligrosa para la salud del bebé. Aunque ésta parezca inofensiva, no debe consumirse sin la autorización del médico.

Concepción y desarrollo del bebé

Papá y mamá son productores de dos células, cada uno, que al unirse y reproducirse dan por resultado la formación de un nuevo ser.

El hombre produce unos gametos llamados espermatozoides, los cuales son depositados en grandes cantidades, durante el acto sexual en la vagina, de donde se desplazan hacia las trompas de falopio hasta llegar al útero tratando de encontrar el óvulo para fecundarlo.

La mujer produce mensualmente una célula llamada óvulo, que es expulsada durante el ciclo menstrual si es que no ha sido fecundado por el espermatozoide.

La fecundación (la unión de la célula sexual masculina (espermatozoide) con la célula sexual femenina (óvulo)) se produce normalmente en la *Trompa de Falopio.* Después de ser fecundado, el óvulo recorre toda la trompa en aproximadamente ocho días, al final de los cuales queda implantado en el útero. Apartir de este momento el óvulo fecundado comienza su fase de reproducción o de división celular para que después de nueve meses el feto esté maduro.

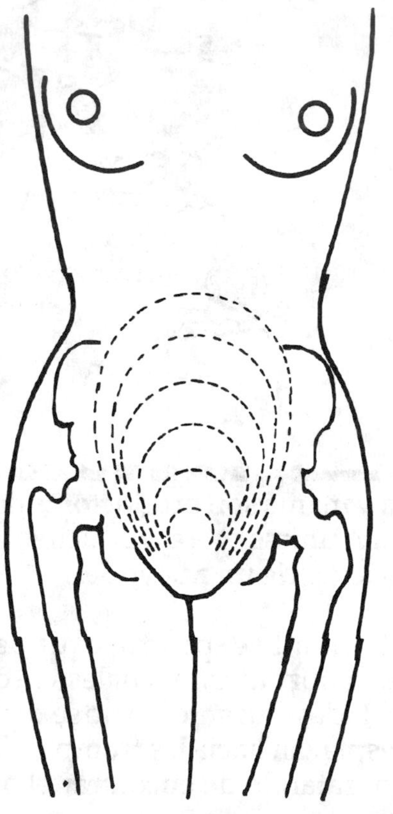

Desarrollo del útero durante el embarazo

El desarrollo del bebé mes a mes

Primer mes

Durante este tiempo al producto se le llama embrión, tiene una longitud de 0.5 cm. y 0.5 gramos de peso aproximadamente. Sus órganos no están diferenciados; se alimenta y excreta por la placenta.

Segundo mes

Ha aumentado talla y peso. Ahora mide cinco centímetros y pesa cinco gramos aproximadamente. En el embrión ya se pueden distinguir ojos, nariz, boca, oídos, brazos y piernas. En esta etapa aún no se define el sexo.

Tercer mes

En esta etapa se convierte en embrión el feto. Durante este período se inicia la formación de la sangre y la secreción biliar. Su longitud es de 12 cm. y el peso de 20 gr. En el cráneo se forman el paladar y el tabique nasal.

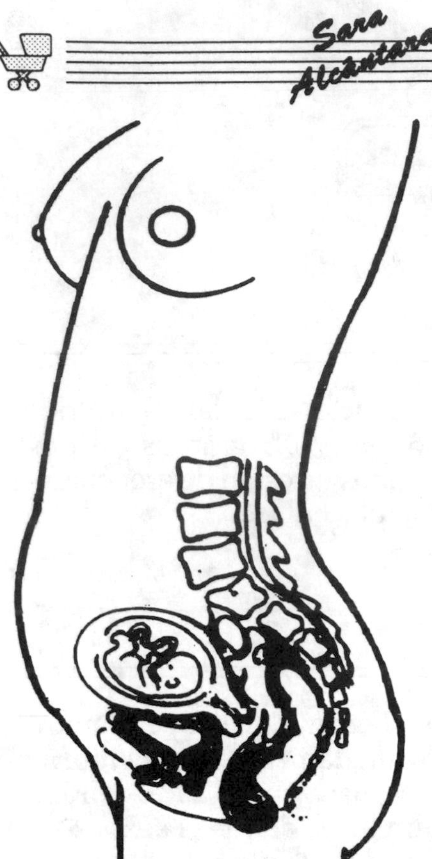

Cuarto mes

Su longitud es de 20 cm. y pesa aproximadamente 100 gr. En este mes el bebé empieza a moverse hasta percibirlo la madre. Le empieza a crecer el cabello en la cabeza y ya se puede observar, por ultrasonido, el sexo. Los huesos apenas son visibles a un examen radiológico.

Quinto mes

Mide 25 cm. y pesa 350 gr. Se percibe el latido del corazón. Se completan los surcos cerebrales. Se unen los huesos y el sistema nervioso continúa su desarrollo, así como también prosigue desarrollándose el bebé.

Sexto mes

En este mes ya mide 30 cm. y pesa 800 gr. Se hace más gruesa la piel y empieza a practicar la respiración. Se forman los párpados. En este momento, si se presentara un parto prematuro, el bebé tiene posibilidades de vivir.

Séptimo mes

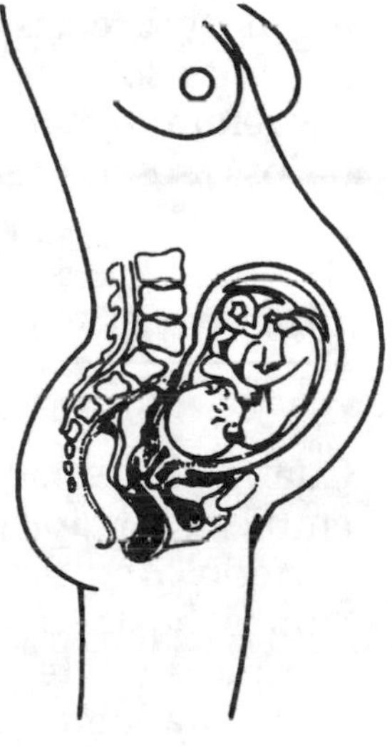

La longitud del feto es ya de 40 cm. y su peso de 1.300 gr. Durante este período se ha completado la formación de sus órganos principales, puede sobrevivir si se presenta un parto prematuro. La piel está arrugada y rojiza, cubierta de una pelusilla. Abre los ojos y está en continuo movimiento que se puede percibir a veces a simple vista de otras personas.

Octavo mes

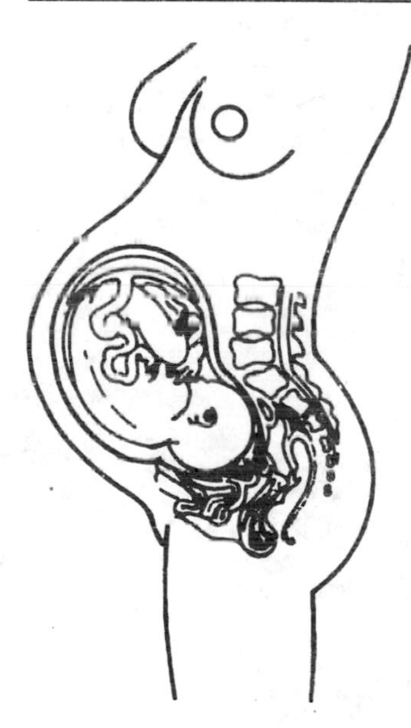

Alcanza 45 cm. de largo y pesa 2.200 gr. En esta etapa el bebé aumenta su volumen y peso. La pupila se abre cayéndosele la membrana que la cubría. La cabeza se encuentra en posición hacia abajo. Son mayores las posibilidades de supervivencia.

Noveno mes

En este período el bebé está listo para nacer: mide alrededor de 50 cm. y pesa 3.100 gr. Todos sus órganos y sistemas se encuentran plenamente desarrollados. Las uñas sobrepasan los dedos. La fontanela craneal se encuentra abierta (moyera). En los niños, en la mayor parte de los casos, los testículos han descendido al escroto.

El parto

Cuando la gestación ha llegado a su fin (280-282 días) empieza la etapa de expulsión. La vagina se dilata, este período comprende desde el comienzo de las contracciones hasta que el cuello uterino se ha dilatado completamente, esta dilatación debe ser de 8 cm. aproximadamente.

Unos días u horas antes del parto se presentan una serie de manifestaciones que hacen suponer a la madre el inicio del parto, como pequeñas contracciones o dolores, insomnio o intranquilidad psíquica. Cuando esto suceda, se debe acudir de inmediato al médico.

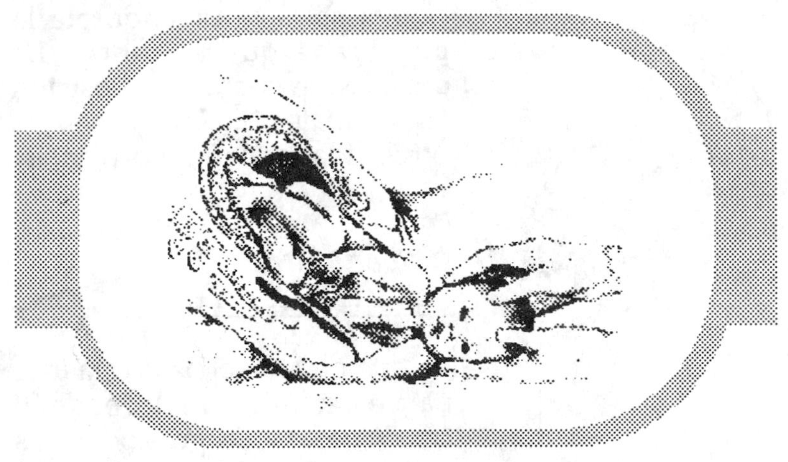

El período de expulsión se inicia al completarse la dilatación y termina en el momento en que el bebé se encuentra totalmente en el exterior.

La fase de alumbramiento comienza con la salida del feto y termina con la extracción total de la placenta.

Preparación para el internamiento

En la actualidad existen sanatorios y hospitales que cuentan con todo lo necesario para dar la atención adecuada a la parturienta. El período de rehabilitación después del parto puede ser de 2 a 5 días.

Es conveniente informarse con anterioridad sobre los servicios que presta el sanatorio, así como las reglas que lo norman. Se debe saber si permiten la presencia de su marido durante el parto, si el bebé dormirá en la misma habitación que la madre, si se le puede dar el pecho en un horario flexible o el hospital establece estos horarios, las horas de visita y si se permite la entrada de niños a las habitaciones.

Con una semana de anticipación, por lo menos, se debe preparar la ropa de usted y el bebé durante la permanencia en el hospital y para salir de él, en su lista debe incluir lo siguiente:

Para la mamá

- ☆ 2 ó 3 camisones, de preferencia de algodón y abiertos por delante,
- ☆ una bata,
- ☆ unas pantuflas cómodas,
- ☆ un chal pequeño,
- ☆ pomada para las grietas de los pezones
- ☆ sostenes especiales para la lactancia,
- ☆ toallas sanitarias,
- ☆ cosméticos,
- ☆ peine y cepillo para el cabello,
- ☆ cepillo para los dientes y pasta dentífrica,
- ☆ monedas para el teléfono.

Para el bebé

- ★ una camiseta,
- ★ un mameluco, de preferencia de algodón,
- ★ 3 pañales desechables,
- ★ una cobijita abrigadora, de preferencia de algodón.

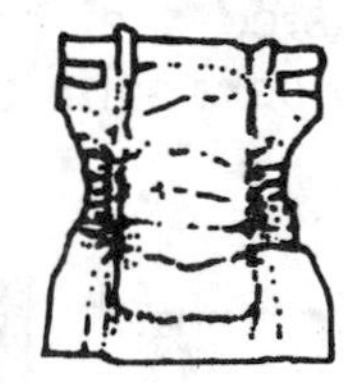

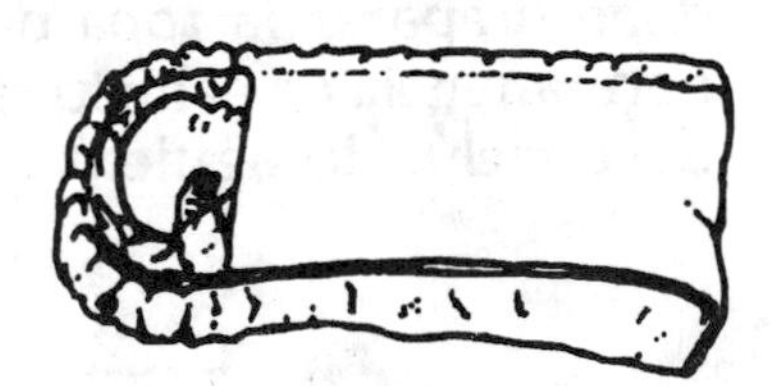

Si no está en sus planes dar el pecho a su bebé y lo piensa alimentar con biberón, debe esterilizar los utensilios necesarios antes de salir para el sanatorio, en caso de que le dé el pecho prepare un biberón con agua hervida por si el bebé se despertara antes de que usted esté lista para darle el pecho.

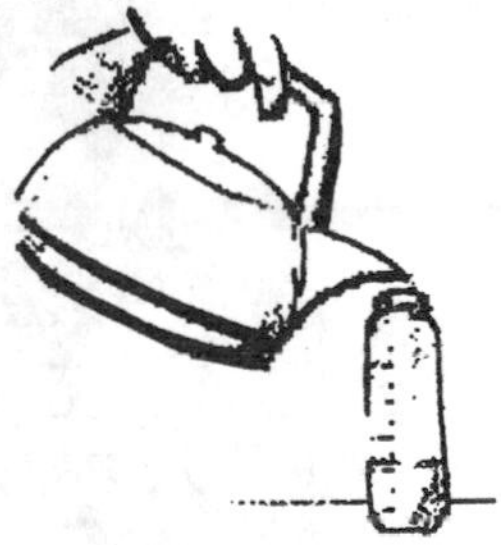

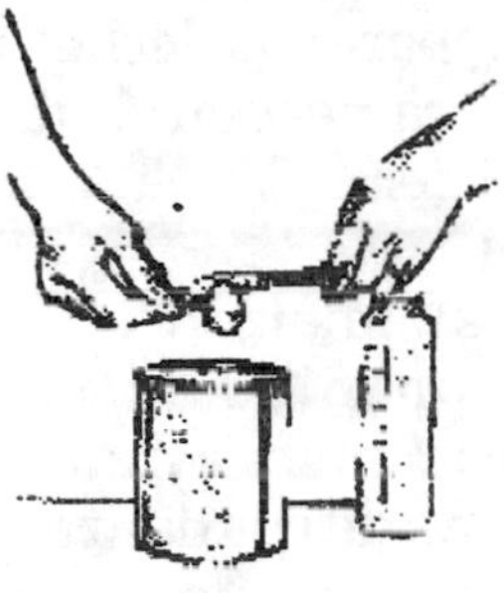

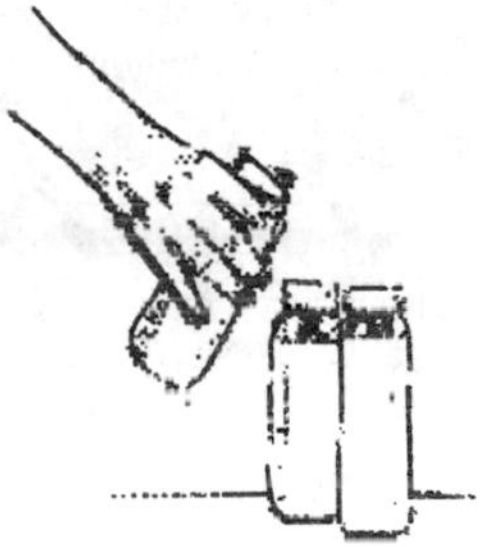

Previsiones en casa

Si cuenta usted con congelador téngalo bien surtido hacia la fecha prevista para el parto. Con el objeto de que no tenga que pasar muchas horas en la cocina durante las primeras semanas de nacimiento del bebé, se sugiere cocinar varios platillos y guisos que se puedan congelar durante un mes sin ningún peligro para la salud de usted y su familia. Prevea qué tiendas y farmacias dan servicio a domicilio.

Es de gran ayuda que su marido se tome unas vacaciones durante los primeros días del nacimiento; si aún desconoce el lugar de las cosas de la cocina o ignora cómo funciona la lavadora, intente instruirlo antes de ir al sanatorio. También es conveniente que aprenda a esterilizar biberones y a preparar la leche, por si fuera necesario que él lo hiciera.

Si su marido no puede disponer de unas vacaciones, pida ayuda a una persona de confianza, ya sea un familiar, que en muchos casos puede ser la futura abuela, una amiga o una vecina, aunque sea por unas cuantas horas al día. El descanso después del parto es muy importante además de requerir de mucho tiempo para conocer a su bebé.

En dónde dormirá el bebé

Si usted y su esposo acondicionaron un cuarto de la casa exclusivo para el bebé, resultará muy benéfico para la mamá ya que dispondrá de un sitio donde pueda tener todas las cosas del recién nacido. Con una mínima inversión económica se puede acondicionar el cuarto, además no es conveniente que sea ostentosa dicha inversión, ya que conforme crezca el bebé, habrá que ir adaptando el cuarto a sus necesidades.

Durante los primeros días, el bebé puede dormir en un práctico moisés, el cual puede ser llevado de un lugar a otro sin molestarlo. En la actualidad existe una gran variedad de cunitas portátiles de material ligero y resistente que pueden ser de gran ayuda para las mamás que trabajan fuera del hogar.

Con el tiempo, el bebé necesitará una cuna grande la cual se puede adquirir de tal forma que posteriormente se pueda convertir en camita. Ya sea la cunita portátil o la cuna grande, ambas requieren de un colchón firme, no es conveniente que éste sea de poliuretano (esponja) ya que este material es muy blando y provoca que el bebé transpire demasiado. Para evitar la transpiración excesiva del pequeño, forre o cubra el colchón con sábanas de algodón, ya que este material posee gran absorbencia.

Para dar cómodamente el pecho o el biberón al bebé es conveniente utilizar una silla baja y con respaldo recto, o de preferencia un sillón reclinable junto al cual siempre habrá una mesita para poner en ella todo lo que se necesite tener a la mano.

Para bañar al bebé escoja una tina de plástico amplia, la cual colocará a una altura adecuada a usted para que el baño diario del bebé lo pueda realizar cómodamente.

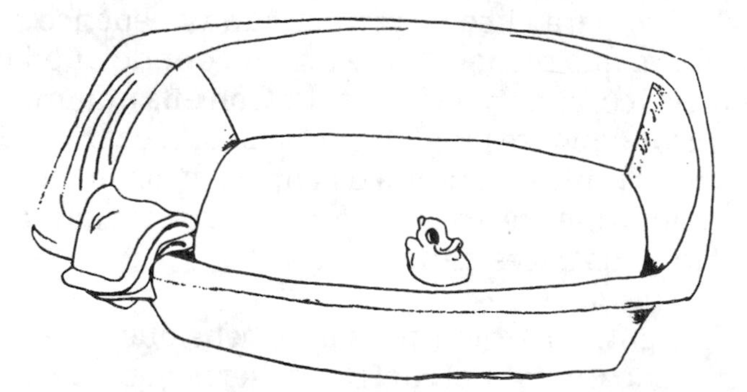

Se encuentran a la venta, en el departamento de muebles para bebé, unas bañeras prácticas y cómodas para el bebé y la mamá. El baño del bebé también se puede realizar en la regadera, cuando usted o su esposo se estén bañando, evitando que el chorro de agua golpee el cuerpecito del bebé.

Para bañar y cambiar cómodamente al niño se debe tener a la mano todo lo necesario, es preferible guardar todas las cosas del baño del bebé, que no serán las mismas que las del resto de la familia, en un cesto o bolsa práctica o en un mueblecito con ruedas. Hará falta lo siguiente:

- ✓ jabón neutro y jabonera,
- ✓ esponja natural suave y pequeña,
- ✓ talco para bebé,
- ✓ ungüento para las rozaduras,
- ✓ tijeras curvas y pequeñas para cortar las uñas,
- ✓ isopos (Q tips),
- ✓ caja de pañuelos desechables,
- ✓ un cepillo blando para el cabello y un peine,
- ✓ toalla, lo suficiente grande para envolver al bebé,
- ✓ radiador portátil, en caso de que la temperatura sea muy baja.

Accesorios de la habitación

La habitación que se destine al bebé debe estar iluminada con una luz tenue durante la noche. Será de mucha utilidad instalar una lamparita de poca potencia para que el niño pueda dormir y usted pueda verlo sin necesidad de molestarlo.

Si desea alfombrar el cuarto del bebé, procure escoger una alfombra que sea fácil de limpiar y además que no sea muy gruesa para que no se acumule demasiado polvo en ella. Es preferible que dicho cuarto no se alfombrara y solamente utilizar un tapete que sea fácil de lavar o limpiar ya que éstos acumulan menos polvo y tierra.

La canastilla

La ropa del recién nacido

El bebé dormirá la mayor parte del día, por lo cual no es necesario vestirlo de diferente manera durante el día como en la noche, por lo menos durante los primeros meses.

Dos requisitos básicos deben reunir las ropas del bebé: que sean abrigadoras y cómodas. Toda la ropa debe ser de fácil lavado y de ser posible de la que no necesita plancha; las prendas de algodón y las de combinación de fibras naturales y artificiales son las más adecuadas. Los tejidos como el naylon no son recomendables ya que impiden la transpiración correcta.

Se debe tomar en cuenta que al bebé no le gusta que lo estén vistiendo y desvistiendo, por eso se deben adquirir prendas lo suficientemente amplias de los brazos y la cabeza para no lastimarlo.

Camisetas

Deben ser de algodón. Son suficientemente abrigadoras tanto las de manga corta como larga, además de que absorben muy bien la transpiración. En época de calor el niño debe vestir sólo una camiseta de algodón de manga corta, y en época de frío se le puede agregar más ropa. Procure quitar las etiquetas de las prendas que están en contacto directo con la piel del bebé, porque pueden resultarle incómodas y en algunas ocasiones hasta producirle rozaduras. Existen camisetas de tipo *kimono* y las de cuello en forma de sobre.

Trajecitos

Los más cómodos para el recién nacido son los que se cierran por atrás y los que se cierran por abajo de los pies a modo de saco o bolsa, ya que son fáciles de poner y facilitan el cambio de pañales además de darle libertad de movimiento.

Chambritas o suéteres

Pueden ser de algodón, lana suave o tejido acrílico. Es conveniente que el tejido sea sencillo y sin calados, ya que el niño podría introducir los deditos en ellos. Es preferible que esta prenda tenga botones en lugar de cintas pues podría enredarse en ellas, llevárselas a la boca o ajustársele demasiado.

Pañales

Actualmente los pañales desechables han resultado practiquísimos para las madres que tienen muchas actividades o que trabajan fuera de la casa, así como también para las mujeres que viven en un departamento pequeño y no disponen de espacio suficiente para tender la gran cantidad de pañales que utiliza el bebé. Si decide usarlos en todo momento, podrá ahorrar mucho tiempo aunque a la larga pueden resultar más costosos que los pañales de tela.

Los pañales de franela resultan muy absorbentes, es conveniente adquirir la franela con que se confeccionarán los pañales de una tela gruesa para que resistan las constantes lavadas, así como para que absorban lo suficiente la humedad de los bebés. En las tiendas se encuentran a la venta pañales de tela listos para usarse. La ventaja de estos pañales es que son baratos y más absorbentes, aunque para las mujeres que trabajan o tienen muchas actividades fuera de la casa suelen ser incómodos por el tiempo que se tiene que emplear para su lavado y planchado.

Una magnífica solución es alternar unos con otros, así el costo y la incomodidad se simplificarán a la mitad.

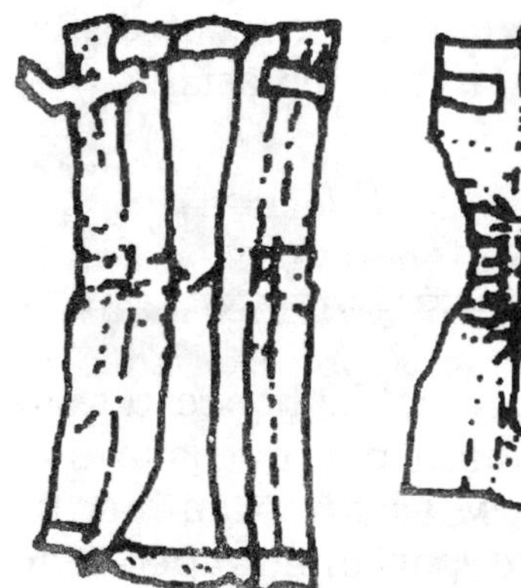

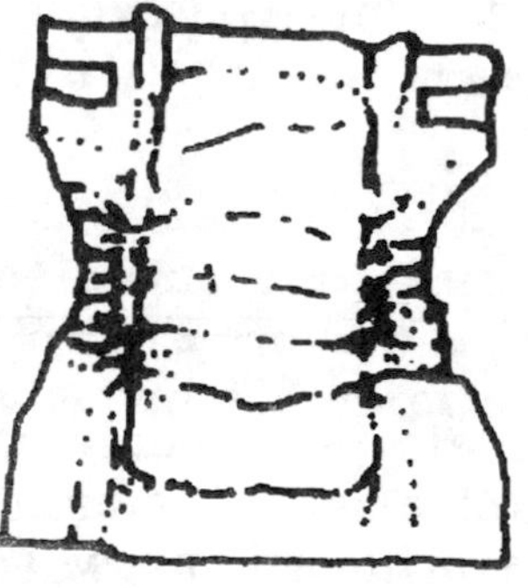

Después del nacimiento

En todos los hospitales, aunque con diferentes técnicas, procuran que el nuevo ser llegue al mundo sano y salvo. En cuanto nace se le extraen las mucosidades de los conductos respiratorios y se le limpian los ojos. A continuación se le corta el cordón umbilical, se arropa y se coloca en el vientre de la madre para que no baje su temperatura.

Después se mide, pesa y se somete a un examen minucioso para prevenir posibles anomalías. En algunos hospitales bañan al bebé el mismo día de su nacimiento, pero siempre, aunque no sea bañado el mismo día, es limpiado perfectamente. El minucioso reconocimiento pediátrico en el transcurso de las veinticuatro horas posteriores al nacimiento se repite antes de salir del centro hospitalario.

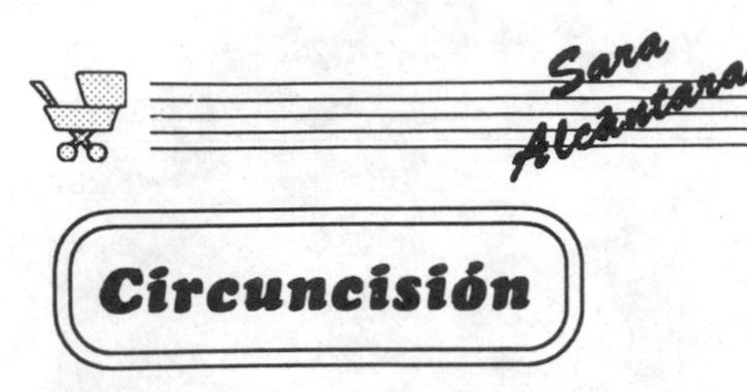

Circuncisión

Consiste en cortar la piel que cubre el prepucio del pene, volviéndose a coser. El pene circundado se protege con un apósito que ha de examinarse varias veces al día para prevenir hemorragias. Al cabo de veinticuatro horas se desprende el apósito reblandeciéndose con el baño y cayéndose solo. Cuando se ha secado se cubre con una gasa estéril impregnada de vaselina para evitar que el pañal se adhiera a la herida. La gasa debe cambiarse cada vez que se cambie pañal. Si después de varios días aparecen manchas de sangre en el pañal del bebé, hay que acudir inmediatamente al pediatra.

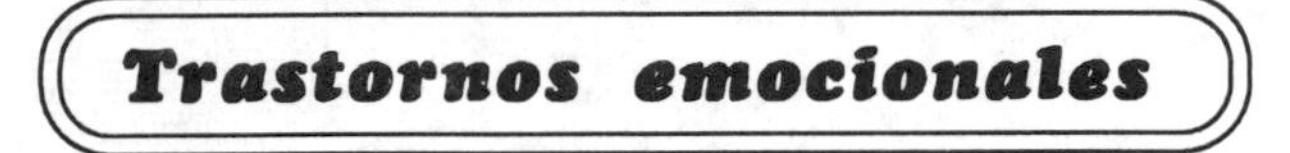

Trastornos emocionales

Al período comprendido entre la terminación del parto y la completa normalización del organismo femenino se le llama *puerperio*.

Los niveles de hormonas presentes en la sangre de la mujer descienden bruscamente durante los días posteriores al parto y el organismo de la mujer tiene que irse adecuando en poco tiempo a sus nuevas condiciones en este periodo. Las mujeres presentan alteraciones en su sistema nervioso, manifestando síntomas de irritabilidad, depresión, tristeza, inseguridad, angustia y, a veces, hasta rechazo al bebé. Todos estos trastornos son perfectamente normales y por fortuna, no duran mucho tiempo, y con el apoyo del marido, se pueden vencer rápidamente.

Si la depresión puerperal continúa después de varias semanas, será conveniente que consulte al médico. Cuanto antes, mejor.

Rasgos físicos del recién nacido

Los padres primerizos no deben sorprenderse o alarmarse por el aspecto del recién nacido; muchos de los casos no son más que pequeñas anomalías transitorias.

La cabeza

La cabeza del bebé es grande en relación al resto del cuerpo y, como los huesos del cráneo montan unos sobre otros en el momento del parto, es normal que aparezcan abultamientos en varios puntos de la cabeza. Esta deformidad, que se denomina *cefalohematoma* y va desapareciendo poco a poco en los días siguientes al nacimiento.

Como se presenta solamente en la parte exterior del cráneo no tiene consecuencias lamentables para el cerebro. Generalmente desaparecen estos abultamientos al cabo de un mes. Si se utilizaron fórceps para facilitar el alumbramiento pueden apreciarse también algunas magulladuras en la cabeza, que desaparecen también en pocos días después del parto.

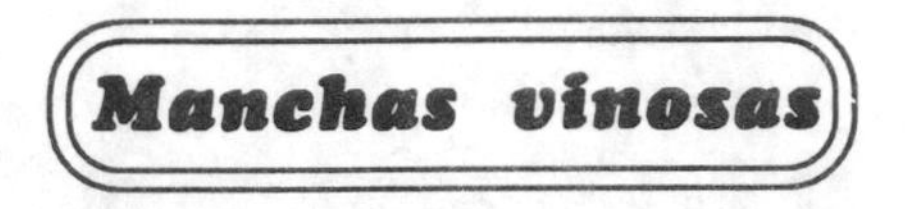

Algunos bebés nacen con una mancha rojiza en la frente, en los párpados superiores, en el labio superior o en la parte posterior del cuello. Estas manchas desaparecen generalmente al término de un año, aunque las del cuello pueden tardar más tiempo.

La piel del recién nacido permanece hinchada durante las primeras semanas de vida de éste. Esto es debido a la presión que se ejerce sobre ella en los momentos del parto. También su piel aparece cubierta con una pequeña pelusilla muy suave llamada lanugo, ésta desaparece en algunos días, aunque los bebés que nacieron poco antes del término pueden conservarla por más tiempo. Es frecuente que aparezca cubierta la piel por una sustancia grasosa, la cual desaparece al bañar al bebé.

En la cara y la nariz se pueden observar frecuentemente los poros obturados e inflamados cubiertos con un color blanquizco o amarillento. Esta anomalía se presenta sólo en los primeros días. No deben exprimirse esas "espinillas".

Es probable que durante los primeros días del nacimiento, el bebé presente algún grado de *ictericia*, (color amarillento que aparece en la piel del bebé) que nada tiene que ver con el hígado o la bilis. La ictericia se produce por la destrucción de una parte del exceso de sangre que necesita dentro del útero, pero que sobra en cuanto la respiración contribuye a oxigenar la sangre. Esta alteración se corrige después de diez días.

El bebé que nace después de la fecha diagnósticada para el parto puede presentar en su piel algunas zonas escamadas, las cuales se desprenden a los pocos días quedando una piel normal y fina. Para ayudar a corregir este defecto le puede aplicar vaselina o un aceite suave.

Algunos bebés muestran, en las primeras semanas de vida, los ojos en una posición encontrada (bizcos). El recién nacido no puede dirigir hacia un mismo punto la mirada, esto es completamente normal ya que es causado por dobleces de la piel cerca de los ojos lo cual desaparece en tres semanas.

A veces por una ligera debilidad de los músculos de los párpados, los ojos no se abren completamente dando la sensación de ser más pequeños de lo normal. En algunas ocasiones aparecen manchitas rojas en el globo ocular, al cabo de algunos días desaparecen totalmente.

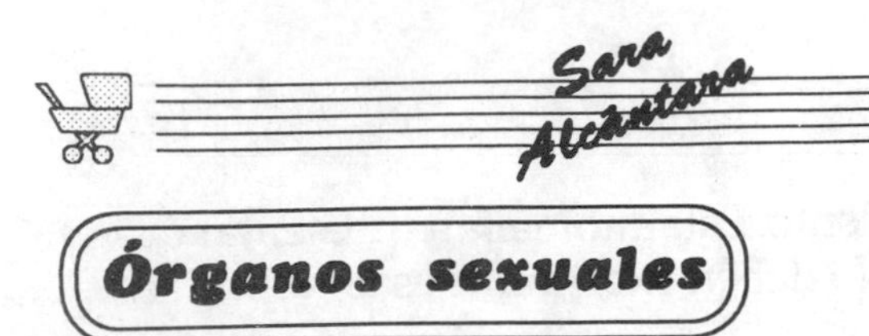

Los bebés de ambos sexos nacen con los órganos genitales más grandes en proporción al resto de su cuerpo. Las hormonas presentes en el torrente sanguíneo de la madre pueden penetrar en el cuerpo del niño antes de que él salga del útero y provocarle inflamaciones en sus órganos genitales. Si es una niña, quizá se produzca una ligera hemorragia vaginal. En caso de los dos sexos, es también normal que sus pezones aparezcan inflamados, esto desaparecerá después de cinco días cuando los niveles hormonales se estabilicen; sin embargo puede presentarse nuevamente si la madre consume anticonceptivos en la época de la lactancia.

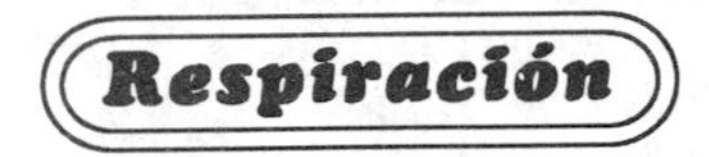

Los bebés respiran únicamente a través de la nariz, ya que ellos no lo saben hacer por la boca, por eso es muy importante mantener su nariz libre de impurezas o mucosidades. Los pequeños respiran más rápido que los adultos, así como puede suceder que dejen varios segundos sin respirar. De todos modos hay que estar pendientes de la respiración de los recién nacidos manteniendo los poros de la nariz despejados y observando que no se amorate su piel cuando suspenda su respiración.

Hay bebés que tienen una epiglotis muy pequeña que al paso del aire a través de ella produce una respiración muy ruidosa.

De regreso a casa

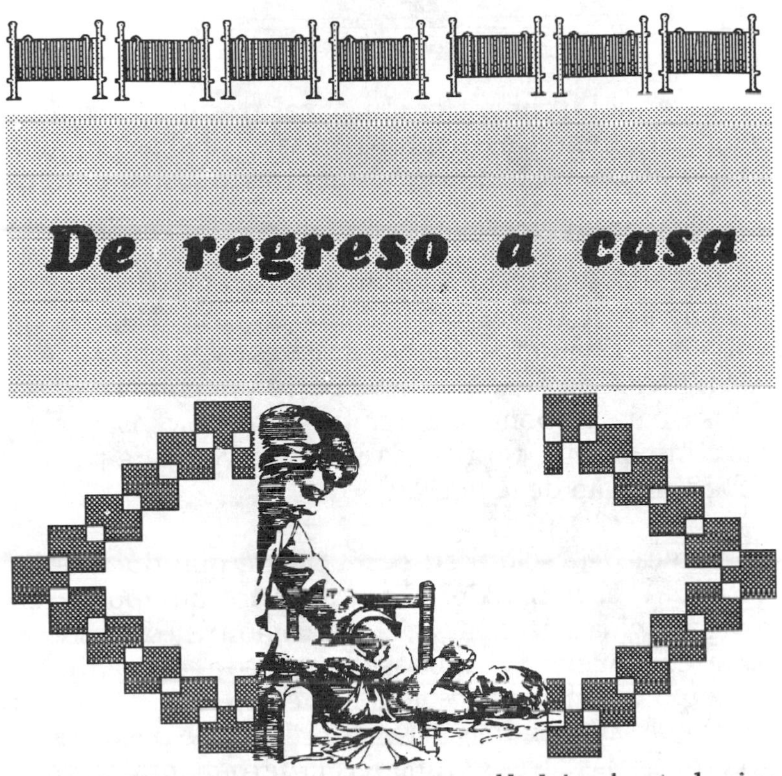

Cuando la madre regresa a casa con el bebé, sobre todo si es el primer hijo, a veces presenta una actitud temerosa. Aunque haya soñado con el momento de regreso a casa en compañía de su bebé, en el transcurso del embarazo, cuando llega ese día, probablemente usted desee haberse podido quedar unos días más en el sanatorio para poder contar con la ayuda de las enfermeras. Es importante organizar minuciosamente el regreso para poder empezar con valentía esa nueva vida.

Si es posible, procure abandonar el sanatorio inmediatamente después de alimentar a su bebé, para que no llegue usted a la casa a hacer de inmediato los preparativos para la siguiente toma. Los bebés son muy sensibles y el suyo se percatará de su estado de ánimo.

Procure que la primera toma en la casa resulte placentera para ambos; emplee el tiempo necesario y hable tranquila y reposadamente con su bebé mientras lo sostiene en sus brazos.

Resulta satisfactorio autoconvencerse de que es posible arreglárselas una misma en casa después de volver del sanatorio. Muchas mujeres están encantadas con la idea. Conviene organizar perfectamente el regreso a casa para disponer de tiempo para descansar, algo muy importante para la madre y conveniente para el bebé y el resto de la familia.

Nunca deje solo a su bebé, piense que durante su ausencia puede suceder algún siniestro que ponga en peligro la vida del recién nacido, así como a usted sucederle algún contratiempo que retrase su regreso a casa para estar a tiempo con él. Si es absolutamente necesario que usted tenga que salir por unas horas de la casa y no pueda sacar al bebé, deje las llaves con una vecina de confianza para que pueda estar al pendiente de su bebé.

La rutina diaria

Procure mantener en casa la rutina del sanatorio, en cuanto el bebé esté adaptado al nuevo ambiente inicie los reajustes convenientes.

En un principio es difícil encontrar la rutina perfecta y es obvio que le resulte imposible; durante las primeras semanas no se afane demasiado por las tareas domésticas, ya tendrá más fortaleza y tiempo para poner en orden toda la casa. Limítese a colocar las cosas en su lugar y reserve sus energías para las necesidades del bebé. Las primeras semanas las tendrá que dedicar exclusivamente a atenderlo y a organizarse. Procure aprovechar las horas de sueño del bebé para lavar pañales, (si es que no usa desechables), esterilizar biberones y hervir agua para veinticuatro horas.

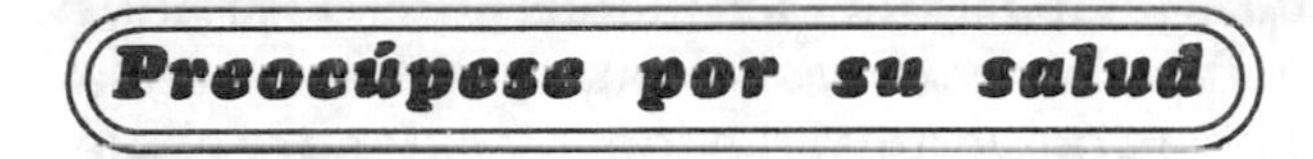

Preocúpese por su salud

Haga sus comidas a intervalos regulares, pues de lo contrario se sentirá más cansada y la producción de leche será insuficiente para las necesidades alimenticias del bebé. No es el momento de iniciar ninguna dieta para bajar de peso, procure comer nutritiva y balanceadamente y su cuerpo poco a poco irá recuperando su figura esbelta, sobre todo si usted es primeriza.

Durante las primeras semanas, es importante que descanse un rato todos los días, principalmente para compensar las desveladas que sufrirá mientras el bebé aprende a dormir toda la noche. Al principio usted creerá que no le hace falta ese descanso, pero conforme pase el tiempo se dará cuenta lo necesario que es, ya que se sentirá continuamente cansada. Parte de esas horas de descanso puede dedicarlas a la práctica de ejercicios indicados para después del parto como los siguientes:

Gimnasia para después del parto

Primer ejercicio

Acostada boca arriba: poner las manos atrás de la nuca; levantar alternadamente las piernas en forma recta, estando en posición vertical flexionar y extender el pie. Con este ejercicio se previenen las varices.

Segundo ejercicio

Sentada sobre una superficie dura, extender las piernas y mantener la espalda recta con las manos entrelazadas detrás de la nuca, mover el codo izquierdo como si se fuera a dar masaje en el seno derecho, alternar uno y otro brazos. Sirve para dar elasticidad a la columna vertebral y fortalece los músculos pectorales. Repetir 8 veces.

Tercer ejercicio

Acostada boca arriba, flexionar las piernas con las plantas de los pies sobre el piso, levantar la cadera deteniéndola con las manos apoyando los codos sobre el piso. Deslizarse en dirección de la cabeza apoyándose alternadamente sobre el pie izquierdo y sobre el hombro derecho y viceversa. Sirve para mantener la elasticidad de la columna vertebral. Realizar 6 movimientos completos.

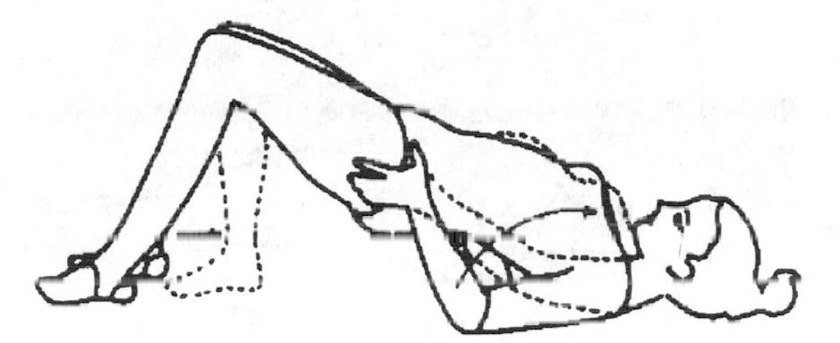

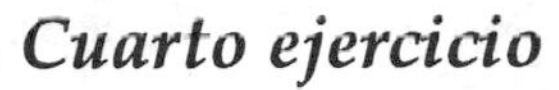

Cuarto ejercicio

De rodillas inclinarse hacia adelante con los brazos extendidos y rectos, tocar el piso con la frente y con las palmas de las manos, contrayendo el abdomen. Levantar lentamente la espalda abriendo los brazos y aspirando profundamente. Sirve para fortalecer los músculos del abdomen. Repetir 5 veces.

Quinto ejercicio

Acuéstese boca arriba y coloque las manos detrás de la nuca. Flexionar la pierna derecha y tocar con el codo izquierdo, de igual forma hacerlo con la pierna izquierda y el codo derecho. Tonifica los músculos dorsales y abdominales. Repetir 6 veces.

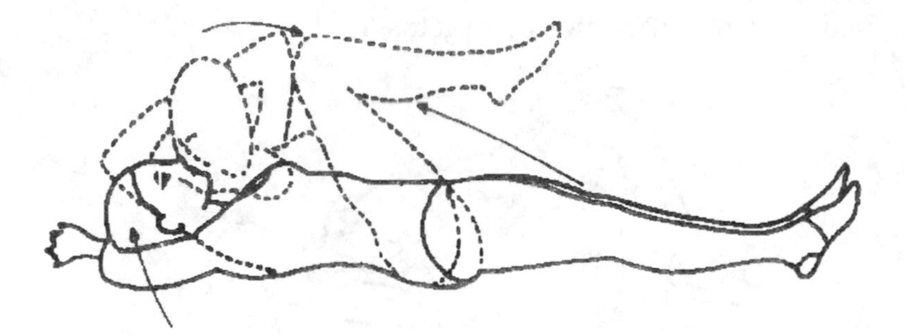

El ejercicio diario y al aire libre es de mucho beneficio, pero si usted no se siente con las fuerzas suficientes, puede posponerlos para cuando se sienta bien. Procure tomar las cosas con calma y sobretodo disfrute de su bebé y notará que las primeras semanas transcurren sin angustias.

El peso y desarrollo del bebé

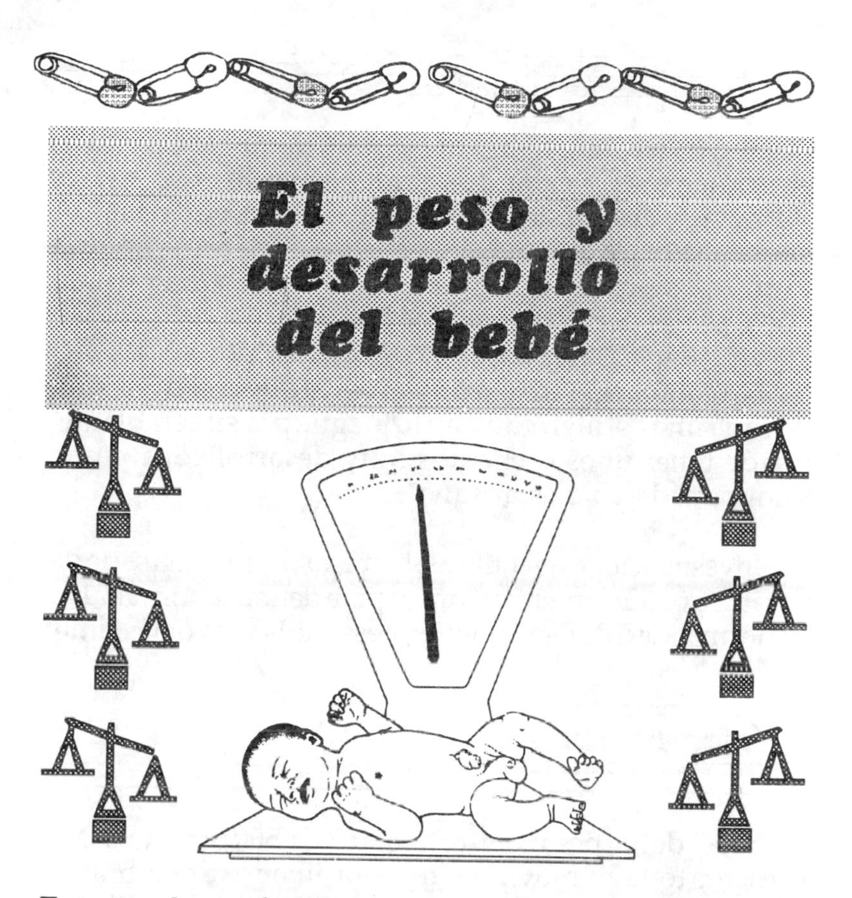

Es normal que al salir del hospital su bebé pese algunos gramos menos con respecto a cuando nació, esos gramos los recuperará más rápido de lo que usted se imagina; debe considerar también que todas las básculas varían los pesos por unos gramos de diferencia.

No le dé demasiada importancia a la báscula si ve que su bebé se alimenta y duerme bien, además si observa que sus movimientos son normales. Cada bebé tiene su propio ritmo de crecimiento ya que intervienen también aspectos hereditarios. El pediatra le dirá si su bebé engorda demasiado o si le falta peso.

Supervise semanalmente el peso de su bebé durante el primer mes y cada dos semanas en los dos meses siguientes; después realice esta acción una vez al mes. A veces no notará que su bebé gana peso en forma notoria y otras veces observará que el peso de su bebé ha variado poco, eso es perfectamente normal.

No compare a su bebé con otros, ya que la complexión de cada uno es diferente y no lo juzgue por su semblante, puede tener unos cachetitos muy desarrollados y una gran papada y no estar sano.

Investigaciones científicas, han establecido una serie de parámetros que sirven como guía para definir la normalidad o anormalidad de los primeros meses de la vida del infante.

El bebé debe pesar entre 3,600 y 4,500 gramos. No presenta todavía movimientos coordinados de los brazos y piernas, lo único que hace es asir fuertemente los objetos que se le pongan en la mano ya que permanece siempre con las manos empuñadas. Reacciona a la luz,

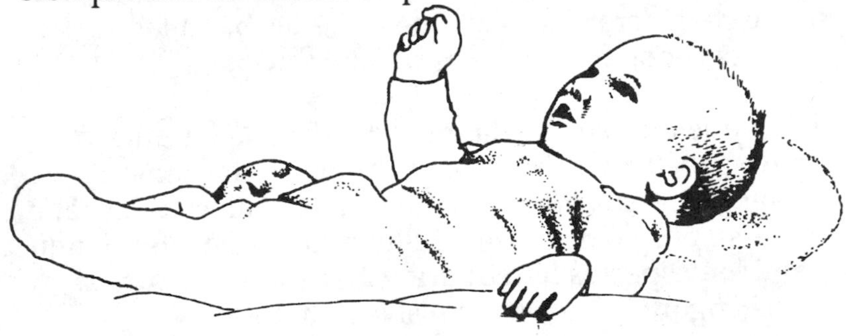

cerrando los párpados; su mirada todavía es vaga. Si se le endereza, no sostiene firme la cabeza. El bebé de esta edad duerme de 16 a 18 horas y se despierta por sí mismo para ser alimentado.

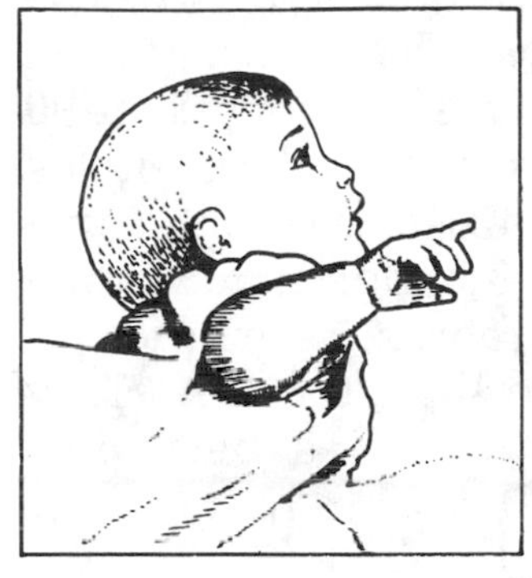

El peso debe ser entre 4,300 y 5,500 gramos, al finalizar la octava semana de vida. Mira a su mamá en pocas ocasiones y con una mirada inexpresiva. Levanta ligeramente la cabeza si se encuentra boca abajo tambaleándose todavía un poco, a veces patalea. Emite balbuceos.

Tiene un peso aproximado de entre 4,800 y 6,800 gramos. Los movimientos se hacen más coordinados. Levanta la cabeza estando boca abajo, formando un ángulo de 45 grados, también es capaz de moverla de un lado a otro. Instintivamente el bebé agarra cualquier objeto que esté a su alcance dirigiendo su mirada hacia el objeto que llame su atención. Se tranquiliza cuando se le habla con suavidad.

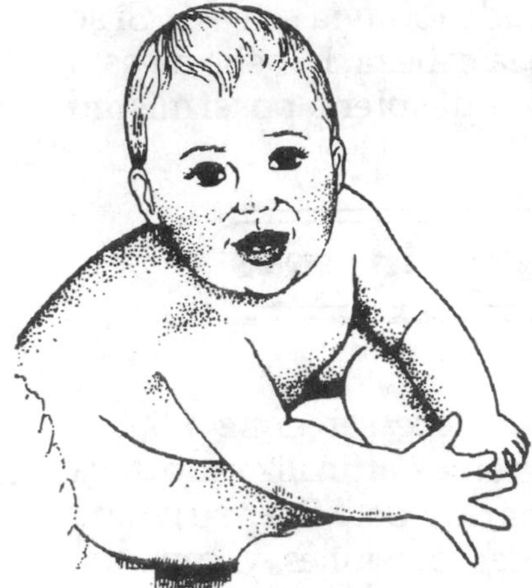

El peso está entre 5,500 y 7,000 gramos. El bebé levanta la cabeza hasta un ángulo de 90 grados apoyándose en los antebrazos con bastante seguridad, estando sentado sostiene la cabeza. Se empieza a desarrollar su memoria y reconoce a las personas, sonríe y a veces hasta se ríe.

Pesa alrededor de 6,000 y 7,000 gramos. Intenta sus primeros ensayos para sentarse y efectúa movimientos de gateo. Se mete las cosas a la boca. Sonríe al verse reflejado ante un espejo. Muestra sentimientos de placer o rechazo.

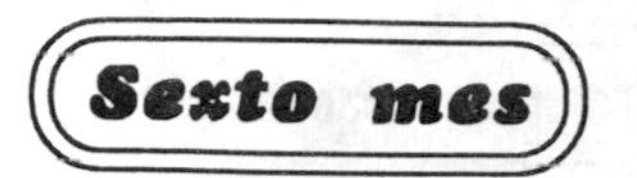

Sexto mes

Su peso es de 6,500 a 8,000 gramos. El bebé se puede apoyar en sus piernas cuando se le sitúa en posición recta. Puede sentarse sin apoyo. Forma sílabas sin sentido, le llaman la atención las personas y las cosas. Juega con sus pies y se los lleva a la boca. Pasa los objetos de una mano a otra.

Séptimo mes

Su peso es de 7,000 a 8,000 gramos. El bebé intenta moverse hacia adelante, rodándose o arrastrándose. Le da gusto cuando reconoce a las personas y a los extraños los mira admirado. Ya "platica".

Octavo mes

Al final del octavo mes pesa de 7,500 a 8,500 gramos. El bebé se levanta apoyándose en los muebles y da sus primeros pasos hacia los lados.

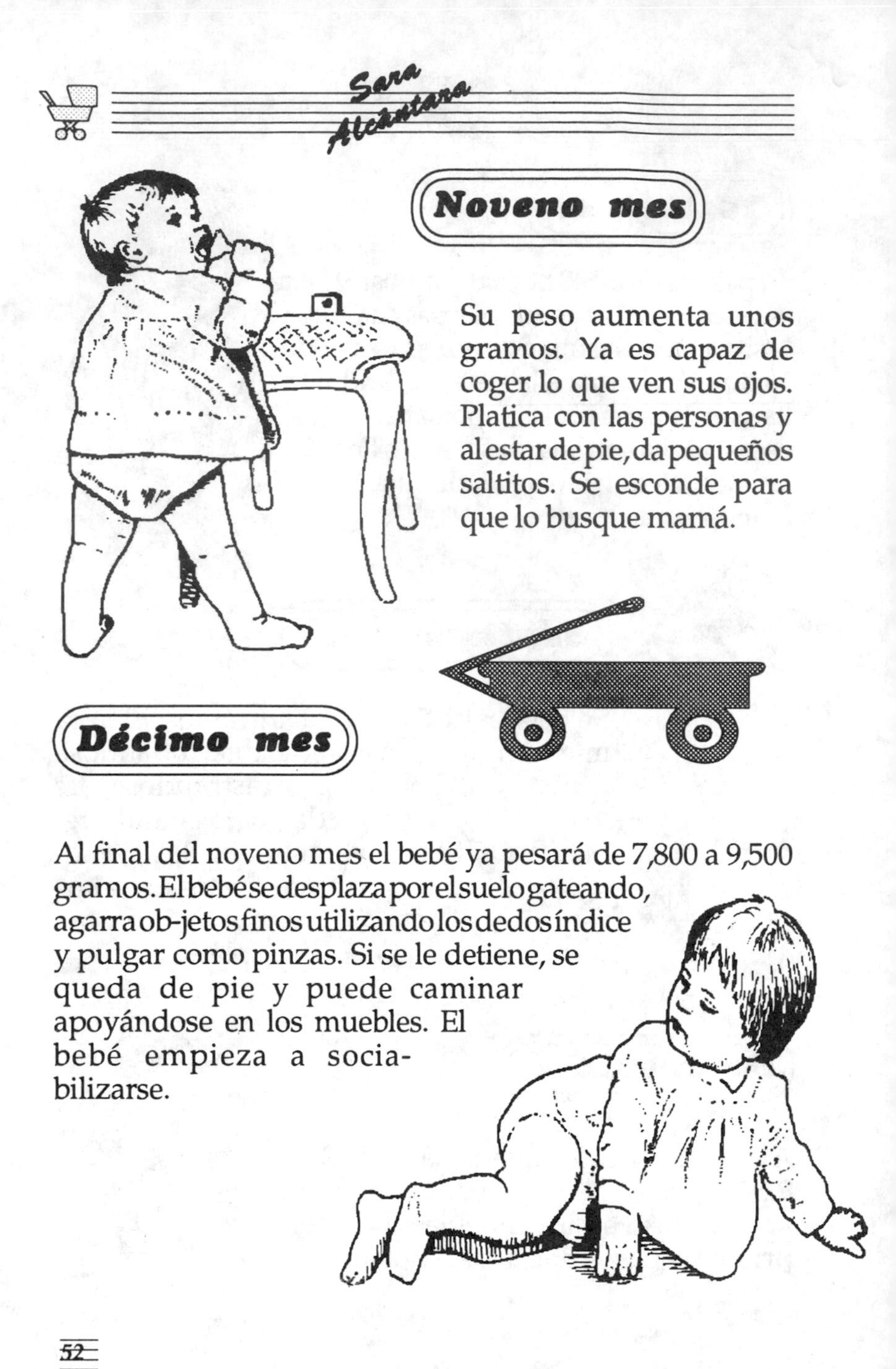

Noveno mes

Su peso aumenta unos gramos. Ya es capaz de coger lo que ven sus ojos. Platica con las personas y al estar de pie, da pequeños saltitos. Se esconde para que lo busque mamá.

Décimo mes

Al final del noveno mes el bebé ya pesará de 7,800 a 9,500 gramos. El bebé se desplaza por el suelo gateando, agarra ob-jetos finos utilizando los dedos índice y pulgar como pinzas. Si se le detiene, se queda de pie y puede caminar apoyándose en los muebles. El bebé empieza a socia-bilizarse.

Undécimo mes

El peso del bebé será de 8,500 a 10,500 gramos. Puede caminar tomado de la mano, entrega el objeto que se le pida si es conocido, coopera cuando lo visten. Manifiesta claramente sus sentimientos de simpatía, afecto o ira.

Duodécimo mes

El peso del bebé es de 9,000 a 12,000 gramos. Puede meter objetos dentro de un bote. Ya se queda de pie sin ayuda, aunque su equilibrio todavía no es muy bueno. Algunos bebés ya caminan a esta edad, aunque inseguros. Sabe aplicar correctamente las palabras "mamá" y "papá".

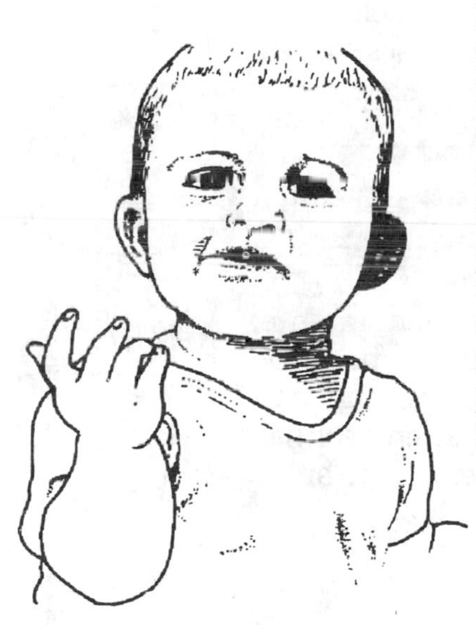

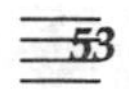

Del décimo tercero al décimo quinto mes

Su peso aumenta lentamente. Sabe construir torres con cubos. Pasa las hojas de un libro, aunque con un poco de dificultad. El 75% de los bebés ya caminan separando las piernas y con seguridad, se caen continuamente. Empieza a repetir frases sueltas.

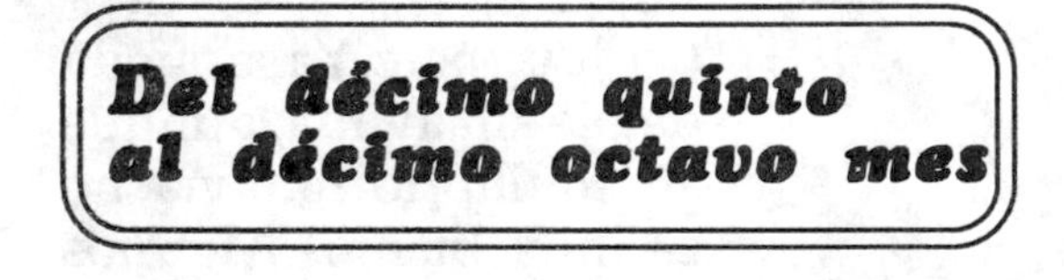

Del décimo quinto al décimo octavo mes

Sigue aumentando de peso lentamente. Se puede quitar sin ayuda la ropa. Sabe desenvolver los regalos, aunque con dificultad. Se puede agachar en cuclillas para recoger cosas del suelo. Sabe subir escaleras.

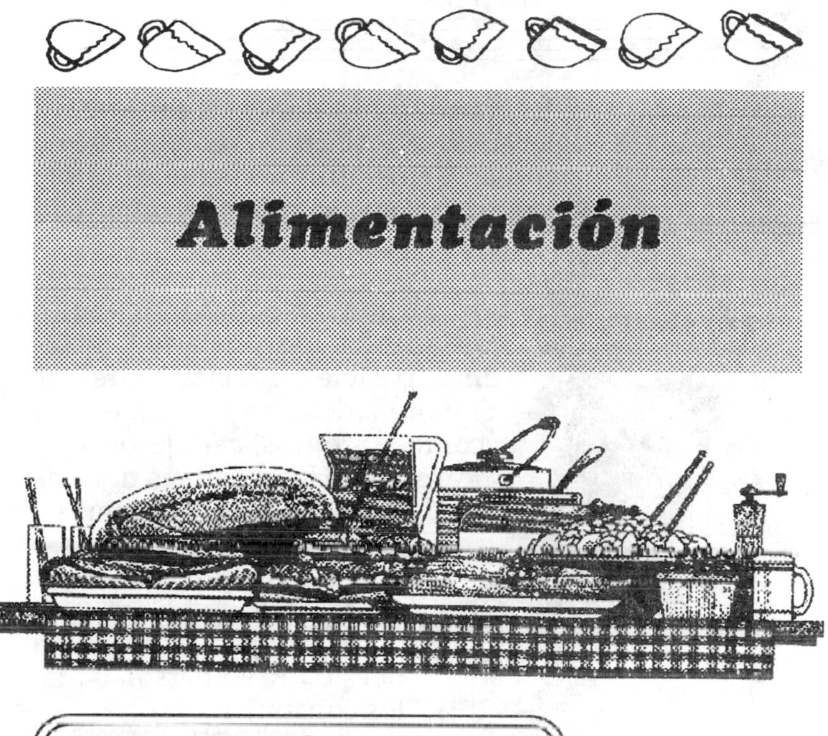

Alimentación

Alimentación durante el embarazo

No se debe esperar a alimentarse nutritivamente hasta estar embarazada. La buena alimentación debe practicarse desde el nacimiento; claro que, como ya no es posible regresar el tiempo, lo conveniente es que desde el momento que usted decida casarse o vivir con su pareja, debe alimentarse correctamente; de esta forma usted se estará preparando para tener un embarazo y un bebé sanos.

Con una sana alimentación se evitarán enfermedades cardíacas, obesidad, caries dental, gota y diabetes, las cuales son producidas principalmente por el consumo de alimentos sin ningún valor nutritivo. A estos alimentos se les conoce como alimentos chatarra, ya que carecen de valor nutritivo, y en caso de consumirlos durante el embarazo pueden poner en peligro el desarrollo normal del embrión.

Los alimentos chatarra están compuestos por helados, gelatinas, pasteles, galletas, refrescos embotellados, papas fritas, así como antojitos callejeros que carecen de las mínimas normas de higiene. Los alimentos chatarra además de no ser nutritivos, por contener conservadores, harinas y demasiada grasas, producen obesidad a las personas que los consumen.

Dietistas de diferentes partes del mundo han coincidido en que el azúcar, cuanto más refinada está, más se convierte en un alimento chatarra. El azúcar se puede sustituir por miel de abeja o azúcar mascabado o, en el peor de los casos, se podrá consumir azúcar morena.

Para que la mamá y el bebé estén debidamente alimentados es necesario tener algunos conocimientos básicos sobre nutrición; los tres componentes principales de los alimentos son: carbohidratos, grasas y proteínas.

Los carbohidratos

Se presentan en forma de almidones y azúcares como los granos y algunas frutas y vegetales. Los carbohidratos nos proporcionan energía además de ser fuente importante de vitaminas y minerales.

Los azúcares son los que forman principalmente los carbohidratos, todos los carbohidratos que utiliza el cuerpo se convierten en glucosa que viene siendo un azúcar simple junto con la dextrosa.

Otro azúcar simple casi idéntico a la glucosa es la fructosa que se encuentra principalmente en frutas y miel.

Los azúcares dobles están formadas por azúcares simples y éstas se encuentran en frutas, verduras en grandes cantidades y leche. Los azúcares lo único que aportan al organismo son energía y calorías.

Durante el embarazo, una mujer adulta y moderadamente activa debe consumir aproximadamente 2,400 calorías diarias, siempre y cuando no sean alimentos chatarra.

Proteínas

Las proteínas están constituidas por aminoácidos; tanto los alimentos vegetales como animales contienen proteínas, sin embargo los animales contienen todos los aminoácidos necesarios para cubrir las necesidades del cuerpo.

Los alimentos con el más completo contenido proteínico son: carne, pescado, leche y queso, aunque los frijoles, chícharos, nueces, cacahuates y granos contienen proteínas pero son incompletas.

Las proteínas ayudan al crecimiento y mantenimiento de los tejidos del cuerpo. Durante el embarazo se debe consumir por lo menos 75 gramos de proteínas diariamente.

Grasas

Las grasas se encuentran en alimentos animales, leche, yemas de huevo, nueces, cacahuates, semillas y granos. Las aceitunas y aguacates son grandes proveedores de grasas.

Las grasas aportan calorías; los alimentos con más alto contenido calórico son: aceite de coco, mantequilla, grasa de chocolate; la grasa menos saturada de valor calórico es la manteca de cerdo.

La grasa sirve para mantener la temperatura del cuerpo, retarda el proceso de vaciado del estómago, ayuda en la absorción de la forma vegetal de la vitamina A.

Vitaminas

Vitamina A

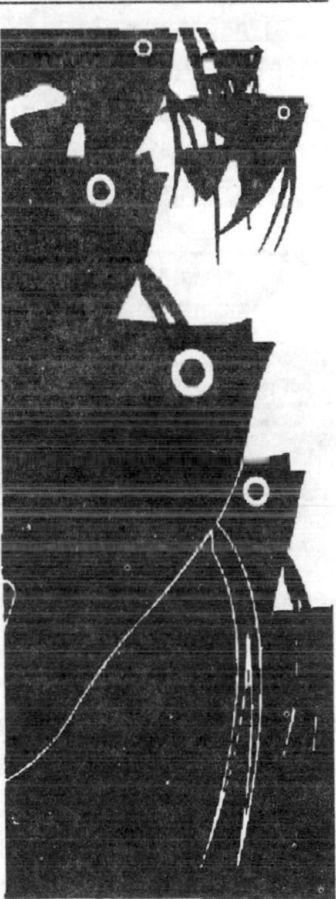

Facilita la adaptación de la vista a los cambios de luz, su falta ocasiona ceguera nocturna. Mantiene la piel sana, el esmalte de los dientes, la salud del cabello y rigidez de las uñas. El funcionamiento de la glándula tiroides depende de esta vitamina. Si se toma en exceso produce dolores en las articulaciones y torna la piel amarillenta.

Los alimentos ricos en vitamina A son: aceites de hígado de pescado, hígado de res o pollo, riñones, margarina, yema de huevo, ejotes y chícharos.

Vitamina D

Es indispensable para la absorción de calcio y fósforo, fortalece las raíces de los dientes y mantiene fuertes los huesos. Es importante la exposición al sol ya que éste provee una buena cantidad de vitamina D.

Los principales proveedores de vitamina D son: levadura, aceite de hígado de pescado, salmón, atún, sardina y arenque; la leche no industrializada también contiene suficiente vitamina.

La ausencia de esta vitamina causa el raquitismo infantil, lo que puede producir un deficiente desarrollo y deformidades en los huesos así como una mala dentadura, pérdida de tono en los músculos; en los adultos ocasiona descalcificación de los huesos.

Vitamina E

Combate la esterilidad. Durante el embarazo el feto absorbe toda la vitamina E; también se le proveerá al bebé en proceso de lactancia.

Los alimentos ricos en vitamina E son: aceite de maíz,

aceite de semilla de algodón, margarina, aceite de cacahuate, aceite de soya, huevos, hígado, arroz, germen de trigo, granos y vegetales.

Vitamina K

Esta vitamina evita las hemorragias. El uso frecuente de antibióticos anula las propiedades de la vitamina K. La vitamina K se encuentra en alimentos como: alfalfa, espinacas, col, coliflor, hígado, avena y jitomates.

Vitaminas solubles en agua

B1

La insuficiencia de esta vitamina ocasiona pérdida de la agilidad mental y reflejos. Se encuentra principalmente en la carne de cerdo, hígado, riñones, chícharos, frijoles, semillas y cereales.

B2

Su carencia produce problemas oculares, sensibilidad a la luz, labios partidos, lenta cicatrización.

Los alimentos que proveen esta vitamina son: leche, carne, algunas verduras, frutas y oleaginosas.

B6

Es productora de anticuerpos que ayudan a combatir enfermedades, su carencia ocasiona dermatitis alrededor de ojos, cejas y boca, pérdida del equilibrio y anemia.

Los principales alimentos que contienen esta vitamina son: plátano, cebada, carne de res, maíz, hígado, riñón, cacahuates, cordero, puerco, salmón, sardinas, jitomates, atún, ternera, harina, arroz, camote, papas, zanahorias y col.

Vitamina C

Ayuda al cuerpo a resistir las infecciones, una dosis adecuada ayuda a prevenir enfermedades, entre los mejores proveedores de esta vitamina se encuentra: pepino, brócoli, jitomate, papa, coliflor y perejil. El cocimiento excesivo de los alimentos proveedores de vitamina C la destruyen, lo adecuado es consumir las verduras crudas o con poco cocimiento.

Evitar peligros

Las grandes urbes, donde los niveles de contaminación

son muy elevados, pueden ser perjudiciales tanto para la madre como para el bebé; por lo tanto hay que evitar salir a la calle si los grados de contaminación son muy elevados; no asistir a lugares en donde se fume en forma exagerada; disminuir el uso de productos en aerosol ya que su alto contenido de tóxicos puede ser de cuidado.

Aunado a lo anterior existen productos cuya inhalación es peligrosa y debe evitarse a toda costa: líquidos limpiadores de ropa, cemento, pinturas volátiles, thinner, barnices y otros elementos de limpieza.

Asimismo, los calentadores de agua, estufas y asadores deben estar en lugares ventilados ya que si se ubican en lugares completamente cerrados afectan a la mujer embarazada. El plomo que proviene de la gasolina es un metal altamente tóxico que se puede introducir en el cuerpo. No use pintura con plomo.

Otra fuente de envenenamiento son los utensilios de barro mal barnizados; sobre todo se debe evitar almacenar bebidas cítricas como jugo de limón, de naranja o manzana. La ingestión de plomo puede ocasionar lesiones cerebrales. No es recomendable exponer a la mujer embarazada a los rayos X a menos que sea estrictamente necesario.

Nitratos y nitritos son elementos que se le agregan a los alimentos embutidos como la salchicha o jamones para darle un color rojizo y resultan altamente tóxicos.

Sarampión o rubeola.

Puede afectar seriamente al bebé. Un 25% aproximadamente de niños de madres contagiadas de rubeola durante el embarazo, principalmente en los tres primeros meses de gestación, presentan defectos congénitos.

Sífilis.

Infección bacteriana que puede provocar en una mujer embarazada, el aborto a partir del cuarto mes de gestación, dar a luz a un bebé muerto o contagiar al bebé en gestación, el cual estará propenso a sufrir anormalidades como nariz incompleta, ceguera, sordera, calvicie, etc.

Toxoplasmosis.

Enfermedad ocasionada por un protozoario, origina defectos congénitos. Los principales transmisores son los gatos y la carne cruda. Estas infecciones causan retraso mental y otros desórdenes neurológicos. Una buena alimentación y atención médica antes y durante el embarazo serán de vital importancia para tener un embarazo y un bebé feliz.

La alimentación del bebé

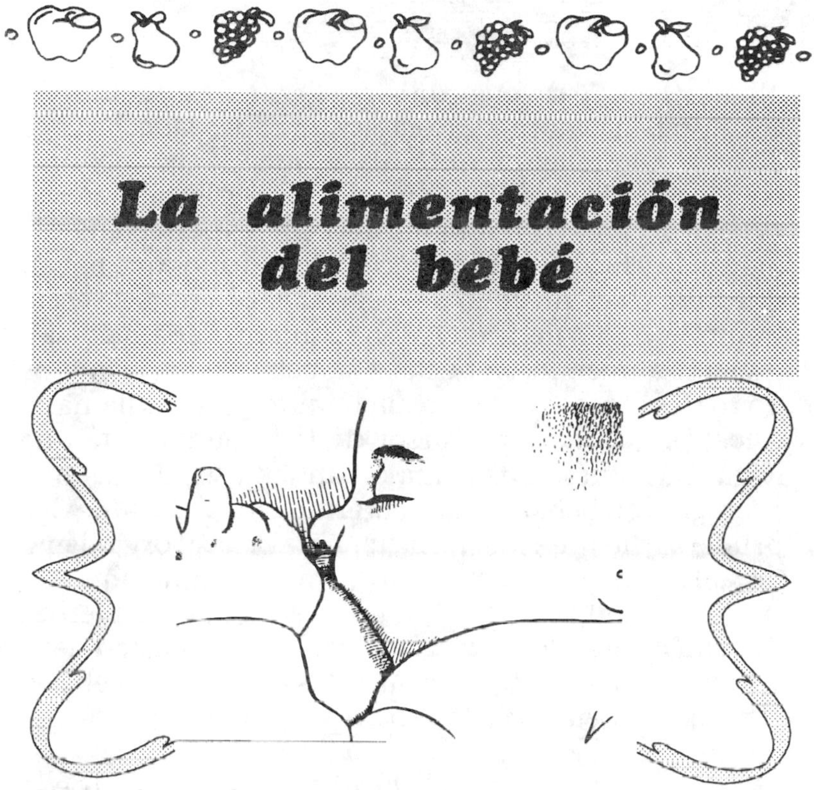

Si usted por alguna razón piensa que no va a darle el pecho a su bebé, procure no manifestárselo al ginecólogo, ya que él puede tomar medidas para suspender la producción de leche y usted podrá cambiar de opinión al momento de conocer a su bebé. Tanto la lactancia natural como la artificial tienen sus convenientes e inconvenientes, lo importante es que la madre se sienta satisfecha con la elección tomada.

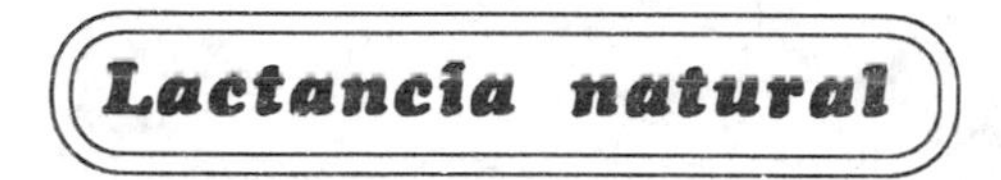

Lactancia natural

La leche materna es la alimentación ideal para el bebé.

No hay peligro de que contenga gérmenes, además de encontrarse siempre en la temperatura adecuada. Protege al bebé contra gastroenteritis e infecciones menores como los resfriados. La composición de la leche materna es la ideal para el crecimiento del bebé, es perfectamente digerible y facilita la eliminación de residuos que hayan quedado en el intestino del bebé al nacer. Impide el estreñimiento, no tiene olor y no requiere preparación alguna. Si alimenta con pecho a su bebé, en los primeros dos o tres días se producirá un líquido delgado llamado calostro, que es el precursor de la leche madura que llegará después. Este líquido contiene sustancias que protegen al bebé de las enfermedades durante los primeros días de vida. La lactancia ayuda al organismo de la madre a perder el exceso de grasa acumulado durante el embarazo y estimula la reducción del útero al tamaño normal. Para una lactancia correcta usted debe sentarse con las rodillas levantadas y acostar al bebé en el regazo, sujetándole la cabeza y los hombros.

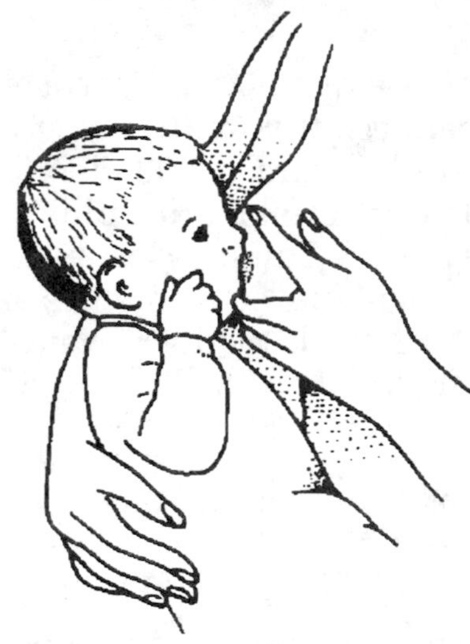

El seno se sujeta entre el dedo índice y el medio, acercando la boca del bebé a la areola mamaria de manera que ésta entre por completo a la boca del bebé. Durante los minutos en que usted esté alimentando a su bebé, debe cuidar de no obstruir la nariz para no provocar asfixia.

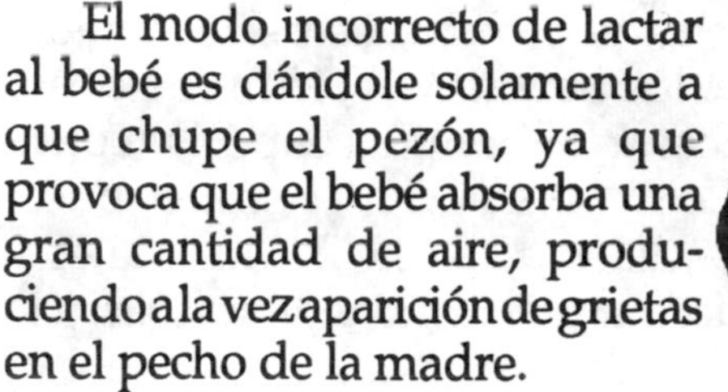

El modo incorrecto de lactar al bebé es dándole solamente a que chupe el pezón, ya que provoca que el bebé absorba una gran cantidad de aire, produciendo a la vez aparición de grietas en el pecho de la madre.

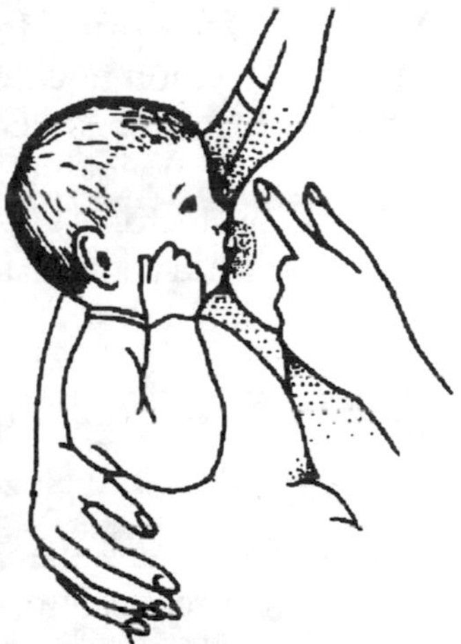

Durante los primeros días, alimente por tiempos cortos y frecuentes. El primer día ofrézcale a su bebé cuatro minutos en cada pecho por cada alimentación; el segundo día, unos cinco minutos; el tercer día, siete minutos y después del cuarto día, 10 minutos o más. Alimentando frecuentemente al bebé no sólo queda contento, sino que los conductos del pecho de la madre estarán siempre limpios y sin peligro de obstruirse. La obstrucción del pecho puede surgir si el bebé es alimentado también con leche artificial y azúcar. Si se mantienen las alimentaciones cortas se evita también que se produzcan grietas en los pezones.

Cuidado de senos y pezones

El pecho debe estar bien sujeto desde el primer día del parto por un sostén adecuado, el cual deberá mantenerse perfectamente limpio o cambiarlo cada vez que se manche. Durante la lactancia es preciso usar el sostén durante el día y la noche, se recomienda esto para que los tejidos del pecho recuperen su forma definitiva cuando deje de lactar a su bebé.

Antes y después de cada toma, lave perfectamente con agua y jabón neutro los pezones; al término de cada toma, aplique, si es necesario, pomada especial contra las grietas. Para evitar que se manche el sostén puede emplear protectores especiales para este fin, los cuales se encuentran a la venta en farmacias o tiendas de autoservicio.

Exprimir los pezones

Quizá alguna vez usted tenga la necesidad de dejar al bebé durante una toma; para esto debe aprender a exprimirse los pezones. Para extraer leche suficiente para una toma hay que hacerlo al final de varias tomas anteriores. La leche se debe recoger con un tiraleche o succionador que deberá estar perfectamente esterilizado al igual que el biberón en donde se conservará la leche extraída; puede conservarse durante 24 horas o congelada durante 6 meses. Si usted deja de lactar a su bebé un día completo o más, existe la posibilidad de que cuando intente lactarlo nuevamente el bebé la rechace.

Producción de la leche

Se adapta de acuerdo a las necesidades del bebé. Cuanto más se le dé el pecho al bebé, la producción de leche será mayor. Procure lactar a su bebé el mismo tiempo en cada uno de los senos, así éstos quedarán igualmente estimulados, se aconseja que ponga una marca en el lado del sostén del pecho que haya dado en segundo lugar la vez anterior.

Si considera que no tiene suficiente producción de leche, tome bastante agua durante el día, un vaso de agua media hora antes de alimentar al bebé y también mientras el niño está comiendo. Debe tomar de uno a dos litros de agua durante las veinticuatro horas y medio litro de leche, un vaso de cerveza a la hora de la comida da excelentes resultados para aumentar la cantidad de leche.

Pechos congestionados

El congestionamiento de los pechos puede presentarse con la subida de la leche y por regla general no dura más de veinticuatro horas. El pecho afectado se pone duro, doloroso y lleno de abultamientos, a veces hasta la axila. Los médicos opinan que esto se debe al exceso de leche en las glándulas, pero existe además otra razón: las hormonas estimulan el ensanchamiento de las glándulas mamarias, y el riego sanguíneo de la parte afectada también se incrementa.

Para aliviarlos es aconsejable poner al bebé a menudo al pecho, aplicar compresas frías entre una toma y otra, extraer manualmente un poco de leche para descongestionar los pechos; aplicar calor y humedad antes de las tomas. Cuando se ha regularizado la cantidad de leche ya no se vuelve a presentar este trastorno, incluso aunque la madre tenga doble o triple cantidad de leche.

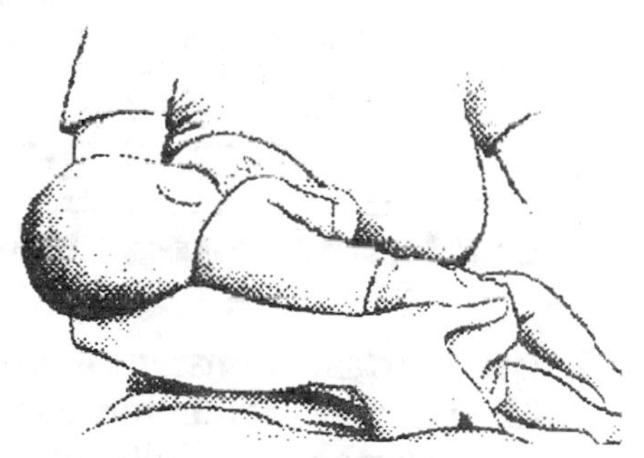

Cómo combatir el rechazo al biberón

Si el bebé todavía desconoce la existencia del biberón, y es necesario empezár a dárselo quizá al principio lo rechace, se sugieren los siguientes procedimientos para empezar a acostumbrar al bebé al uso del biberón.

Hervir los biberones y los chupones en lugar de esterilizarlos con líquidos especiales que suelen dejar en ellos un sabor desagradable. Aunque el bebé no chupe, deje que juegue con el chupón hasta que se acostumbre a él. Es muy importante la constancia, así que no le retire el biberón en cuanto lo empuje con la lengua o empiece a hacer muecas.

Pruebe diferentes biberones hasta que el bebé le encuentre el gusto; hay biberones que tienen chupones muy similares al pezón de la madre. No pruebe darle biberón al bebé antes de pensar en destetarlo, ya que, así como hay bebés que rechazan el biberón cuando están acostumbrados al pecho, también hay bebés que al probar el biberón ya no quieren volver a saber nada del pecho.

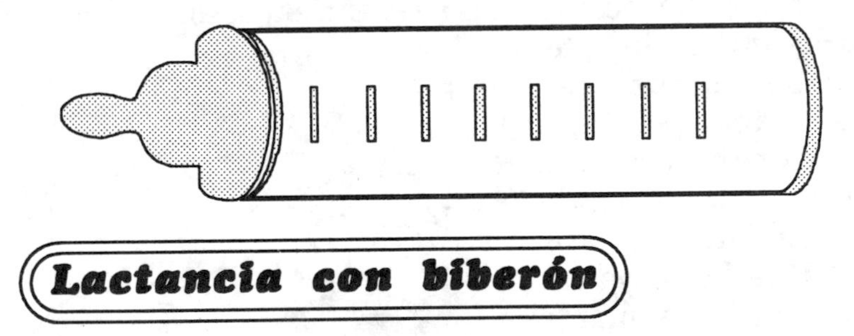

Lactancia con biberón

Existen ciertas circunstancias que obligan a la madre a prescindir de la alimentación natural. Un bebé alimentado con biberón se desarrolla tan sano y fuerte como uno alimentado con pecho. La alimentación con biberón requiere de más tiempo y cuidados en su preparación y limpieza, sin embargo hace posible que otra persona, que no sea la madre, pueda alimentar al bebé pudiendo ayudar el padre.

Con el biberón la madre no trasmite el nerviosismo normal que siente durante los primeros días después del parto. Si usted está de acuerdo con la alimentación por biberón para su bebé, es importante que siga las instrucciones del envase que contiene la leche u obedezca las que haya dado el pediatra. La mayoría de las leches en polvo para el bebé son derivadas de la leche de vaca, la cual ha sido preparada lo más parecido a la leche humana, la leche de vaca tiene más proteínas y sales que la leche materna.

Accesorios para dar el biberón

- seis biberones de 250 ml,
- dos biberones de 120 ml,
- chupones,
- cepillo largo especial para lavar biberones,
- esterilizador especial para biberones.

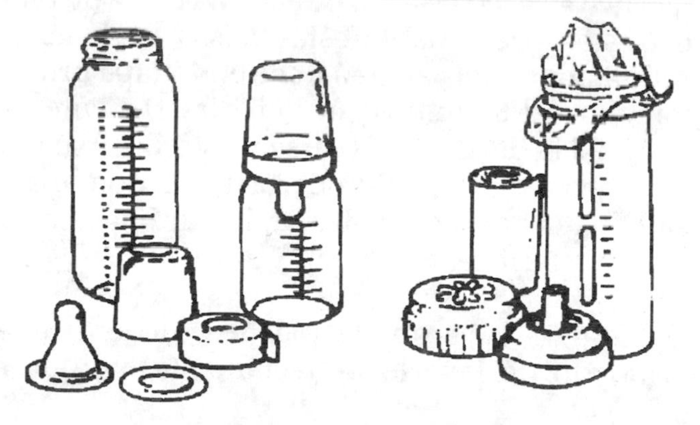

En caso de no poder adquirir un esterilizador comercial puede usar una olla grande de peltre, sin defectos, que sea exclusiva para hervir biberones y chupones. Procure lavar tanto el esterilizador como la olla, por lo menos cada tercer día para evitar que se le forme sarro.

Los biberones

Existen principalmente tres tipos de biberones:

- Los de cristal, que ya vienen provistos de un chupón, un disco de plástico, para evitar que la leche se derrame mientras que el bebé no la consuma, si es que usted tiene que salir con él a la calle y una tapa protectora del chupón.

- Los de plástico, al igual que los de vidrio, vienen provistos de chupón, disco de plástico y tapa protectora del chupón.

- Los desechables, que constan de un recipiente de plástico en el cual se introduce una bolsa de plástico estéril, desechable (estas bolsas ya vienen en rollo). Contienen, además, chupón y tapa protectora. Los aditamentos que van directamente a la boca del bebé, deben lavarse y esterilizarse perfectamente, el recipiente de plástico en donde desembona la bolsa esterilizada, no será necesario que se esterilice.

Si decide usar el biberón de plástico, deberá tener mucho cuidado de lavarlo perfectamente, ya que el plástico puede conservar más fácilmente gérmenes que puedan provocar diarrea al bebé. En un principio, durante las primeras semanas de vida, es recomendable usar únicamente biberones de vidrio, con el tiempo se puede ir cambiando a biberón de plástico.

Limpieza e higiene general

En el proceso de la alimentación con biberón, es de suma importancia la higiene, para evitar que la leche se contamine. Las bacterias tienden a multiplicarse fácilmente, especialmente si la leche está tibia, recuerde que el recién nacido tiene un sistema digestivo muy delicado.

Antes de preparar los biberones, lávese las manos perfectamente y séquelas con una toalla limpia, de preferencia que sea blanca, para comprobar que no está sucia.

La superficie del mueble en donde prepare los biberones, debe estar escrupulosamente limpia y el agua recién hervida. Nunca toque el equipo esterilizado si no se ha lavado las manos perfectamente.

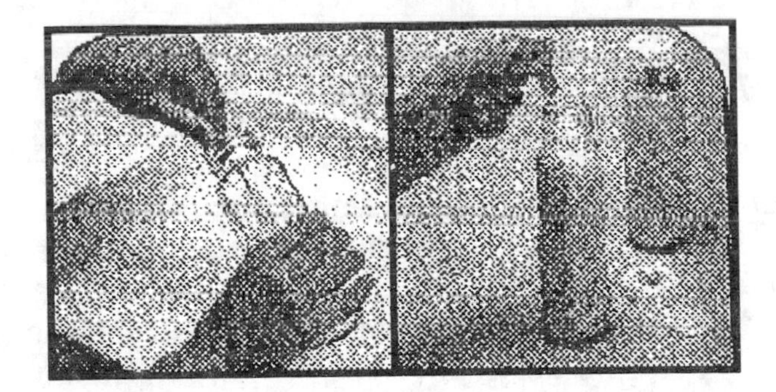

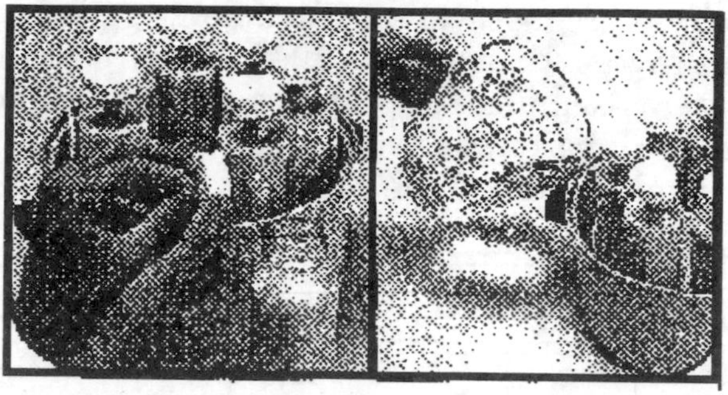

En cuanto haya preparado la leche, espere que se enfríe a la temperatura ambiente y métala de inmediato al refrigerador durante un tiempo máximo de veinticuatro horas. Si los biberones son de vidrio, procure que sean de material refractario, para evitar que se revienten al cambiarlos bruscamente de temperatura. Nunca utilice un termo para conservar la leche caliente, ya que esto provocaría que se desarrollaran bacterias dañinas para el estómago del bebé.

Si el bebé no consumió totalmente el contenido del biberón, sea lo que sea, tire el sobrante. No recaliente nunca el sobrante, ni deje la leche a la temperatura ambiente por varios minutos sin consumir.

Limpieza de biberones

La limpieza de los biberones empieza con un escrupuloso lavado de todos los accesorios. Después de cada toma, enjuague la botella, el disco de la tapa enroscable en donde se fija el chupón y el chupón directamente al chorro de agua del grifo. Después lave el frasco con el cepillo especial y agua caliente y un detergente líquido suave, insistiendo especialmente en las roscas de la botella y la tapa fijadora del chupón. Enjuague perfectamente todos los accesorios y métalos al esterilizador tal y como se lo haya indicado el pediatra.

No es necesario esterilizar el cepillo para lavar los biberones ya que éste se usa antes de la esterilización, únicamente procure guardarlo en un lugar limpio y lejos de los demás trastes de la familia, sobre todo de los que contengan grasa de otros alimentos.

Para lavar el chupón, enjuáguelo perfectamente bajo el chorro de agua, voltéelo y después frótelo con sal común, que actuará como abrasivo eliminando las partículas de leche y grasa que puedan estar adheridas, enjuague perfectamente, voltéelo al derecho y repita la operación por ese lado.

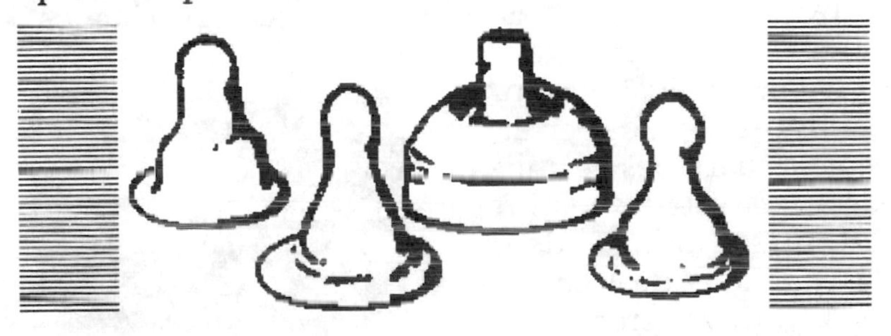

Esterilización de biberones

Existen en el mercado unas ollas especiales para la esterilización de biberones, en las cuales al mismo tiempo, se esteriliza la leche ya preparada.

La esterilización también se puede hacer, hirviendo todos los utensilios en un recipiente exclusivo para esto. El agua debe hervir por lo menos quince minutos procurando que todos los accesorios queden cubiertos por el agua, se deberá tapar esta olla; con unas pinzas saque pieza por pieza, previamente esterilizadas colocando todos los accesorios sobre una toalla perfectamente limpia mientras llena los biberones. No debe dejar en agua fría las cosas ya esterilizadas.

Si usted cuenta con lavavajillas, es probable que ésta ya tenga un ciclo de esterilización, antes de emplearlo, consulte a su médico.

Preparación de la leche

Para que no prepare más leche de la necesaria, o menos, adquiera una jarra de vidrio con las medidas en onzas o mililitros grabadas en el exterior, la cual antes de utilizarla, debe estar esterilizada. Prepare la cantidad de onzas de agua y las medidas de leche que el pediatra le haya recomendado.

Si desea preparar un biberón, vierta en primer lugar la cantidad de agua hervida requerida, posteriormente las medidas de leche recomendadas, tape el frasco con el disco de plástico asegurándolo con la rosca y agite vigorosamente hasta asegurarse que no hayan quedado grumos de leche, ya que éstos pueden tapar el chupón cuando el bebé esté succionando.

Cantidad de leche que requiere su bebé

Si usted va a alimentar a su bebé con biberón, es impor-tante que siga las instrucciones de la lata de leche o las que específicamente le haya dado el pediatra. La mayoría de las fórmulas para el bebé son derivadas de la leche de vaca, la cual ha sido preparada para que sea lo más parecida a la leche materna; la diferencia más importante es que la leche de vaca tiene más proteínas y sales que la leche humana.

Hasta la edad de cuatro meses aproximadamente es cuando la dieta del bebé se compone exclusivamente de leche, el cálculo de la cantidad necesaria se efectúa, aproximadamente, según el peso del niño. Por cada kilogramo de peso el bebé necesita 150 gramos de leche al día. El total se divide entre el número de tomas al día. Ejemplo: si su bebé pesa 3,500 gramos, éstos los multiplica por 150 gramos, da por resultado 825 gramos, los cuales se dividirán entre 4 ó 5 que son las tomas que hace normalmente un bebé, el resultado será la cantidad de gramos de leche. 225 gramos es la cantidad máxima que el niño necesita por toma, pues alcanzando esa cantidad, el bebé con seguridad ya estará consumiendo otros alimentos sólidos.

De otra manera podríamos decir que, durante las primeras semanas de vida el bebé tomará en cada alimento, de dos a tres onzas de leche. En la tercera y cuarta semanas, consumirá cinco veces al día de 110 a 150 gramos de leche.

Estos cálculos son simplemente orientativos, así que no hay que apegarse estrictamente a ellos ya que conforme su bebé va creciendo, y usted conociéndolo, él mismo irá marcando la cantidad de leche que necesite. Si el bebé gana peso y se queda contento, se deduce que ha quedado satisfecho.

Postura para el biberón

El bebé alimentado con biberón, debe sostenerse tan cómoda y amorosamente como el que toma el pecho, comerá con más tranquilidad si se le mantiene en una posición segura y con las manos sujetas. Sostenga el biberón bien inclinado para evitar que el chupón se quede sin leche y el bebé aspire mucho aire.

No deje al bebé tomando su leche con el biberón apoyado en un cojín y dentro de su cuna. Esto no debe hacerse, ya que el bebé necesita sentir la seguridad y el calor de unos brazos.

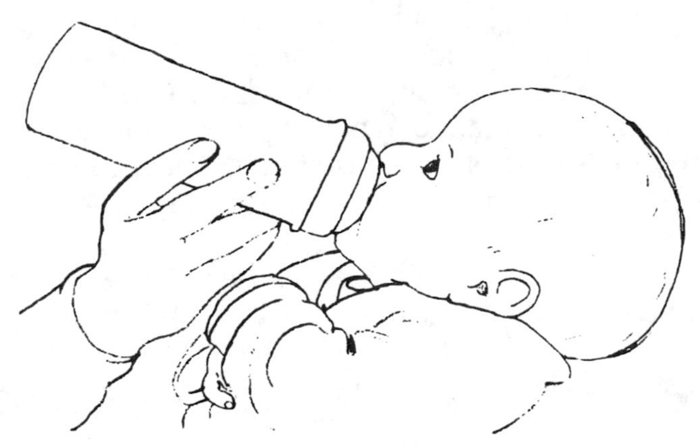

Cambio de pañales

Cuándo cambiar al bebé

En los primeros meses conviene hacerlo antes y después de cada alimento, ya que el bebé se siente mejor si está seco, aunque generalmente el bebé se ensucia mientras come.

No despierte nunca al bebé para cambiarle pañal pues cuando está dormido indica que se siente cómodo. Si utiliza pañales desechables deberá cambiarlo más seguido, así como ponerle un pañal extra durante la noche.

El cambio de pañal lo puede hacer sobre un mueble acojinado que esté a una altura cómoda para usted, ya que durante los primeros días la madre no puede hacer mucho esfuerzo. El cambio también lo puede hacer sobre sus rodillas, si lo hace de esta forma cúbrase con un pañal o un delantal, sentada en un asiento bajo y poniendo las piernas de tal modo que el bebé quede sobre una superficie plana. Antes de ponerle el pañal limpio procure tener a la mano todo lo necesario y, si está muy manchado por las evacuaciones, lávele sus nalguitas y sus órganos genitales perfectamente con agua tibia. Esto puede hacerlo en el lavamanos sin necesidad de quitarle toda la ropa, de esta forma evitará las rozaduras y el bebé se sentirá más a gusto. Cuando el bebé está únicamente mojado, puede limpiarlo con un algodón y agua tibia, secándolo con otro algodón. Hay varias formas de poner los pañales de tela. Cuando le ponga pañal de tela asegúrese de sujetarlo alrededor de la cintura, dejando suficiente holgura en el estómago para no oprimírselo y procurando también no dejar muy flojo el pañal alrededor de las piernas para evitar accidentes. Se ilustran diferentes formas de poner el pañal de tela.

- *Doble el pañal en cuatro y termine formando un triángulo.*
- *Coloque al bebé sobre el pañal doblado, con el lado más largo en la cintura; doble sobre él las esquinas y pase el pico entre sus piernitas.*
- *Sujete las esquinas del pañal en su lugar con los dedos de una mano, asegurándose de que los bordes inferiores queden por debajo de las rodillas para que el bebé esté más cómodo.*
- *Sujete el pañal con un seguro grande, los hay especiales para pañales de tela.*
- *Puede utilizar, para que no se moje el lugar donde duerme el bebé, calzoncitos de plástico abotonados al frente para poder ponérselos con más facilidad.*

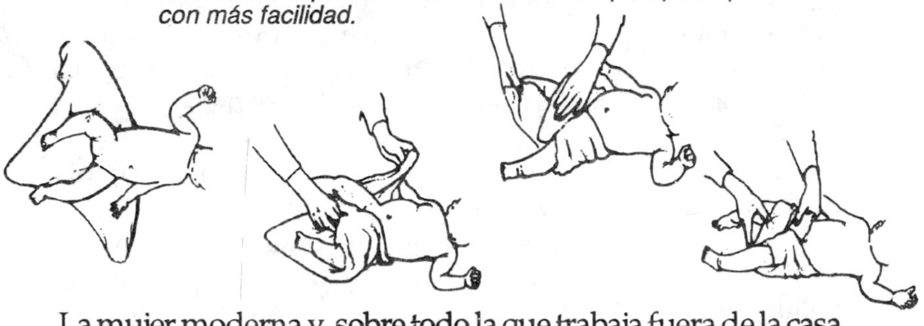

La mujer moderna y, sobre todo la que trabaja fuera de la casa, se inclina principalmente por el uso de pañales desechables.

Lavado de ropa y pañales

Toda la ropa y pañales que vayan a estar en contacto con la piel del bebé deben ser lavados antes de ser estrenados. Utilice jabones suaves de la mejor calidad, evite el empleo de detergentes fuertes y enjuague muy bien toda la ropa para evitar rozaduras. Algunos suavizantes de telas pueden ayudar a mantener tersa la ropita del bebé, aunque algunos pueden provocar alergias en su piel.

Si los pañales de tela están muy manchados, puede dejarlos unas horas enjabonados con un jabón de pasta, darles una ligera tallada a mano y con el mismo jabón meterlos a la lavadora. Los pañales deben quedar perfectamente enjuagados. Si su lavadora no enjuaga perfectamente, lo tendrá que hacer a mano.

Cuando meta la ropa del bebé en la lavadora, acostúmbrese a que ésta realice un ciclo de lavado sin ropa, para eliminar impurezas que pudieran haber dejado la ropa del resto de la familia. Recomendamos que toda la ropa del bebé sea lavada a mano.

El baño del bebé

En épocas anteriores se recomendaba que el bebé recibiera su primer baño hasta que hubiera cicatrizado el ombligo. En la actualidad al bebé se le baña desde el primer día, teniendo cuidado de que al final quede perfectamente seca la herida.

Es preferible bañar al niño siempre a la misma hora para que se vaya haciendo un hábito; el baño cansa al bebé por eso se recomienda que se realice en la tarde, para que pueda dormir más tiempo durante la noche y usted también pueda descansar.

Asegúrese de que la habitación esté a una temperatura entre 21 y 24 grados centígrados, la bañera o tina en donde bañe al bebé debe estar a una altura que sea cómoda para usted. Tenga a la mano todo lo necesario antes de empezar.

* una toalla de baño y una de tocador para la cara,
* una toalla para bebé,
* bolitas de algodón,
* cepillo para el cabello y tijeritas para las uñas,
* pañal desechable o de tela,
* una muda completa.

Llene la bañera con agua templada hasta dos tercios de su capacidad; para probar su temperatura, introduzca el codo en el agua; deberá estar más caliente que su cuerpo. Mójese las manos con agua caliente para no tocar el cuerpecito del bebé con las manos frías, ya que esto le molestará.

Cuando tenga lista el agua y al bebé desvestido, sumérjalo en la bañera pasándole el antebrazo izquierdo alrededor de los hombros; para que la cabecita quede levantada y apoyada, deberá sujetarla por la axila.

Manteniendo la cabeza y un poco el pecho fuera del agua, con la mano derecha se enjabonará y lavará el cuerpo de arriba hacia abajo empezando por el cuello lavando muy bien los pliegues de éste, siga con las axilas, los brazos y las manos, el pecho, el estómago y las ingles. Lave la parte externa de los órganos genitales, metiendo la mano entre las piernas del bebé, enjabone y lave las pompis y el ano.

Enjabone finalmente las piernas y los pies; si se siente suficientemente segura de sí misma para lavarle la espalda, dele la vuelta sujetándolo por una axila y apoyándolo en su antebrazo de modo que el bebé apoye la barbilla en él.

La cabeza del bebé podrá lavarla antes de meterlo a la tina o bañera o estando dentro de ella, procurando que no le entre jabón a los ojos.

Para lavar la cara utilice bolitas de algodón para limpiar los ojos, no use el mismo para los dos ojos y emplee una pequeña esponja para lavar el resto de la cara.

Los oídos y orejas se los puede lavar estando en la bañera de la misma forma como se los lava usted, cuidando que no entre agua al oído. No introduzca cotonetes en el interior de los oídos o la nariz.

Para sacar al bebé de la bañera póngase sobre el pecho la toalla con la que lo envolverá para que sea más fácil enrollarlo con la misma. Para secarlo hágalo con pequeños golpecitos en todo el cuerpo secando muy bien entre los pliegues de todo el cuerpo. No ponga talco al bebé hasta que no esté perfectamente seco su cuerpo.

Cuando el bebé es mayorcito y sabe sentarse solo póngale en la bañera algún juguete para que se entretenga mientras usted lo baña; cuando es mayorcito puede usar para el cabello un champú especial para niños que no irrite los ojos para enjuagarlo distraígalo llamando su atención hacia el techo.

Sueño

La mayoría de los bebés duerme de 12 a 18 horas diarias en los primeros cuatro meses. Algunos bebés suelen dormir más en el día que en la noche, pero esto sólo será al principio. Procure dormir cuando el bebé lo haga hasta que se empiece a acostumbrar a dormir toda la noche. Es más benéfico para el bebé que su mamá esté descansada a que los muebles y la casa estén relucientes de limpios.

Dónde debe dormir el bebé

Mientras el bebé no se acostumbre a dormir durante la

noche, es aconsejable que éste duerma en la habitación de los padres, ya que mientras se adaptan a su nueva vida despiertan o piden de comer a cualquier hora de la madrugada. Cuando ya sea más grandecito o duerma toda la noche, y si se dispone de otro cuarto, no hay razón para que no duerma solo, dejando las puertas abiertas, para estar pendientes de los ruidos que haga el bebé; evite que el cuarto suyo y el del bebé estén alejados uno del otro.

Durante las primeras semanas de vida, el niño se sentirá más seguro si se le envuelve en una cobija ligera. Tenga en cuenta que está acostumbrado al espacio pequeño del interior del vientre materno y, sin estar fajado, se siente desprotegido, agita las manos en busca de encontrar algo que tocar y se asusta al no sentir nada. Hay personas que opinan que está pasado de moda envolver a los bebés como "taco", pero está demostrado que esto les ayuda a conciliar el sueño.

Forma de envolver al recién nacido

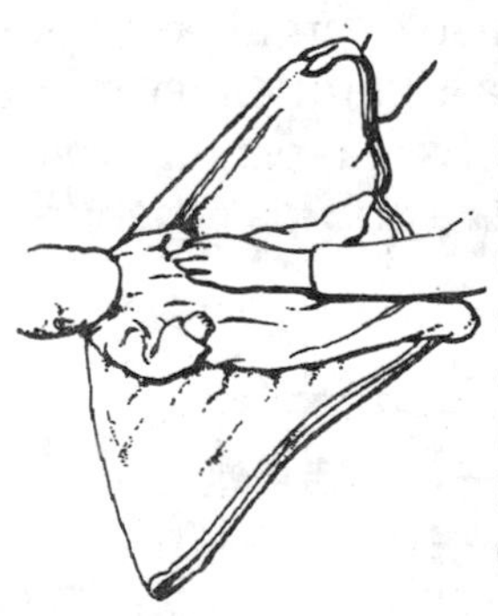

Doble la cobijita en forma de triángulo, coloque al bebé sobre ésta con el doblez a la altura de los hombros.
Colcque el brazo derecho del bebé en una posición cómoda sobre el pecho, cúbralo con la esquina derecha de la cobijita metiéndola por debajo del bebé. Repita la operación con el otro brazo metiendo la esquina de la cobija por debajo de la espalda del bebé.

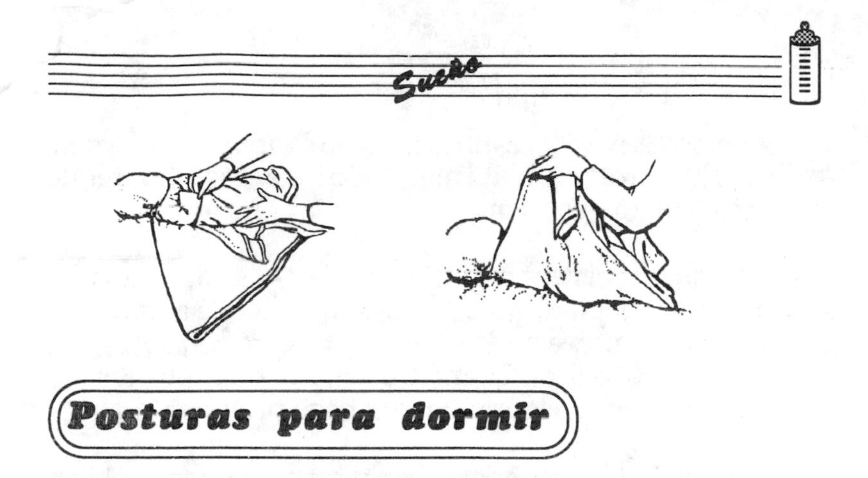

Posturas para dormir

Cuando el bebé es tan pequeño que no sabe todavía moverse, no es conveniente acostarlo boca arriba, ya que podría regurgitar leche y provocar asfixia si los padres no llegan a tiempo. Tres posturas pueden resultar cómodas para el bebé.

De lado. Ya envuelto el bebé, acuéstelo de lado evitando que se ruede hacia la espalda poniéndole un rollo hecho con pañales, esto le impedirá volverse boca arriba. Cúbralo con otra cobijita, sin taparle la cara, metiéndola por debajo del colchón para evitar que se destape.

Acueste al bebé alternando cada lado en cada toma, cerciorándose de que la oreja no quede doblada. El cambio de lado impedirá que se le deforme la cabeza y se le desarrollen los músculos del cuello de manera uniforme.

Boca abajo. Si se le acuesta al bebé boca abajo, únicamente hay que envolverlo desde la cintura hacia las piernas y pies, dejándole los brazos y manos libres para que se pueda apoyar en ellos y levantar la cabeza y voltearla de uno a otro lado cuando así lo desee. La postura boca abajo fortalece los músculos de la espalda y el cuello, facilita la expulsión del aire no eructado después de la toma anterior; alivia las molestias del niño que padece cólicos y sirve de estímulo para aprender a gatear. Cúbralo con otra cobijita metiendo los extremos laterales por debajo del colchón.

En cuanto el bebé empiece a moverse, se dará la vuelta por sí solo adoptando las posturas que más le agraden. Al principio, al cambiarse de postura, le costará trabajo regresar a la postura inicial, la madre tendrá que levantarse a ayudarlo porque seguramente el bebé protestará.

A partir de los ocho meses aproximadamente, el bebé puede empezar a gatear, salirse de las cobijas y dormir sobre ellas. Se moverá tanto que durante la noche recorrerá, en todas las posiciones, la totalidad de la cuna y, si no tienen protecciones los barandales, seguramente alguna vez amanecerá con las piernas colgadas entre ellos.

Cuando su bebé llegue a esta edad, lo más conveniente será comprarle mamelucos, los cuales cubren todo su cuerpo y no es necesario cubrirlos con alguna cobija extra que, de todos modos, amanecerá debajo del bebé. En esta edad el bebé ya se entretiene con sus juguetes.

Mientras el bebé no cumpla dos años, no podrá expresar lo que le inquieta, así que si su hijo grita o llora de repente por la noche, puede usted deducir que ha tenido un mal sueño. Acuda a él de inmediato, encienda la luz de una pequeña lámpara para no lastimar sus ojos y tranquilícelo, quizá tarde unos minutos en lograrlo, pero necesita la presencia de usted para que vuelva a la realidad. Cuando lo haya tranquilizado puede dejarlo solo nuevamente manteniendo la luz de la pequeña lámpara para darle más confianza.

Alimentación complementaria

A partir del tercer mes, además de la leche, el bebé puede empezar a probar jugos y frutas, así como pequeñas dosis de yema de huevo. Cuando empiece a comer más durante el día permanecerá más tiempo dormido durante la noche.

Cumpliendo los cuatro meses ya podrá comer, en forma de puré, carne y verduras, las cuales se pueden preparar en la licuadora con el vaso perfectamente lavado y enjuagado con agua hervida. Al principio sólo comerá quizá cuatro o cinco cucharaditas de la papilla. La alimentación diaria a partir del cuarto mes se sugiere de la siguiente manera:

De 6 a 7 de la mañana
una toma de leche.

De 10 a 11 de la mañana
2 ó 3 onzas de jugo de naranja natural con media cucharadita de yema de huevo. Si el jugo no está muy dulce, se le puede agregar una cucharadita de miel.

3 ó 4 cucharaditas de puré de alguna fruta fresca y natural, de preferencia manzana o plátano. Puede rayar con la misma cuchara la fruta.
una toma de leche.

De 12 a 13 hrs.
4 ó 5 cucharaditas de papilla preparada con hígado de pollo o carne de pollo, zanahoria, espinaca y papa agregando un poco de sal. Todo bien hervido.
una toma de leche.

De 17 a 18 p.m.
3 ó 4 cucharaditas de puré de manzana o plátano.
una toma de leche.

A las 22 horas
una toma de leche
Esta toma se le dará sólo si el bebé lo pide, si permanece dormido no lo despierte para dársela.

Existen en el mercado alimentos colados y picados que se presentan en envase de vidrio, listos para consumirse y que son de una marca extranjera. Estudios de especialistas han concluido que estos alimentos tienen una gran cantidad de almidones para dar una apariencia de contenidos sólidos; contienen un 80% más de agua requerida para el bebé; poseen pocas proteínas y calorías; así como una cantidad insuficiente de vitaminas; el agregado de sal de estos productos es generalmente muy alto. Un bebé que consume estos alimentos recibe 10 veces más de sal que la que recibiría en la leche.
En general los alimentos preparados en casa contienen menos agua, almidones, sal y azúcares y más fibras, proteínas, vitaminas y minerales.

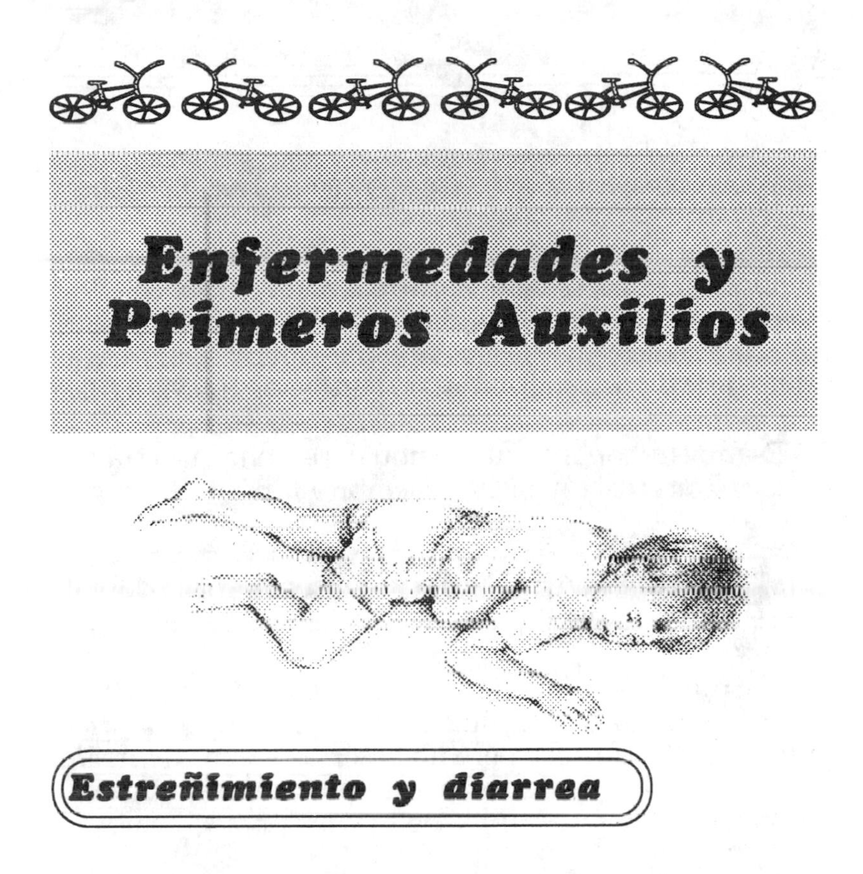

Enfermedades y Primeros Auxilios

Estreñimiento y diarrea

Los bebés que son amamantados por la madre, pueden tener al principio más excremento que los bebés alimentados con biberón, después de varias semanas la situación se puede invertir, así también los bebés amamantados con leche materna tienen sus evacuaciones más suaves que los bebés de biberón.

El estreñimiento se puede identificar si el bebé evacúa duro aunque una vez al día y se esfuerza mucho al realizar sus evacuaciones. Usted puede ayudar a su bebé dándole más agua durante el día con poca azúcar. Pruebe darle en cuatro onzas de agua hervida, un cuarto de cucharadita de azúcar.

Si el bebé hace mucho esfuerzo al evacuar, llora mucho y grita y encoge sus rodillas, lo mejor es que consulte al médico.

Si por el contrario el excremento del bebé es demasiado líquido, huele feo, es verdoso, arroja gases o tiene cólicos, pueden ser síntomas de una diarrea seria. Debe consultar al médico de inmediato, mientras tanto, dele mucha agua pues a través de la diarrea su bebé estará perdiendo mucha agua.

Es muy importante que cualquier persona que está en contacto con el bebé mantenga siempre limpias sus manos.

Infecciones en vías respiratorias

El bebé puede ser contagiado por la madre si ésta padece algún resfriado o tos. Una mamá que tenga catarro podrá cargar a su bebé pero no besarlo. Si tiene fiebre la madre, deberá consultar al médico porque los gérmenes que causan ésta pueden ser peligrosos para el bebé.

Si algún miembro de la familia presenta síntomas de alguna infección respiratoria, deberá permanecer lo más alejado posible del bebé.

Procure no exponer a los cambios bruscos de temperatura al bebé pues también son causantes de gripas. Si nota que el niño está pálido y lloroso, que le cuesta trabajo respirar, lo primero que debe hacer es tomarle la temperatura, la cual deberá tomarse en la ingle o la axila, nunca en la boca. La temperatura normal de un bebé debe estar entre 36º y 37º C. Si rebasa estos grados y su corazón late rápidamente debe consultar inmediatamente al médico.

Cólicos

Realmente no son una enfermedad sino malestares propios de los recién nacidos, los cuales se retirarán poco a poco hasta cumplir los tres meses aproximadamente. El cólico se puede presentar en el momento en que menos se lo espera causando un fuerte dolor estomacal.

No deje a su bebé llorando, pues el esfuerzo que hace al llorar producirá un dolor más intenso. No existe un tratamiento efectivo para aliviar este malestar; ocasionalmente un antiespasmódico intestinal podría aliviar los síntomas, pero tiene que ser recetado por el médico.

Es normal que los bebés, en las primeras semanas, vomiten una poca de leche o grumos de leche después de que se les da de comer, sucede casi siempre cuando expulsan aire.

Los vómitos que no son normales pueden ser provocados por alguna infección en la garganta, una infección ordinaria o una gastroenteritis, que puede ser seria. Si los vómitos se presentan continuamente pueden provocar una deshidratación, acuda de inmediato al médico y dele agua hervida con sal y azúcar (en medio litro de agua hervida agregar 1 cucharadita de azúcar y media cucharadita de sal).

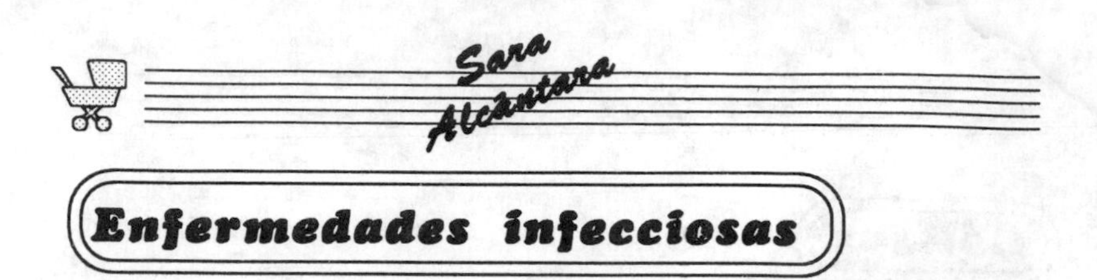

Enfermedades infecciosas

El sarampión, tosferina, varicela, rubeola y viruela, son enfermedades propias de los niños pequeños. Algunas de ellas ya se pueden evitar si los bebés son vacunados a tiempo. Desde el primer mes de vida los niños deben empezar a recibir las dosis correspondientes para evitar estas enfermedades, las cuales, si no se atienden adecuadamente pueden resultar peligrosas sobre todo en un recién nacido. Algunas de estas enfermedades no cuentan con la vacuna para evitarse, su ventaja es que crean inmunidad.

EDAD	ESTATURA EN cm			ESTATURA EN cm		
	NIÑOS			NIÑAS		
	Baja	Media	Alta	Baja	Media	Alta
Al nacer	48	50	51	48	49	51
1 mes	52	54	57	50	53	56
2 meses	55	58	60	54	56	59
3 meses	58	61	63	57	59	62
4 meses	61	64	66	60	62	65
5 meses	63	66	68	62	64	67
6 meses	65	68	70	64	66	69
7 meses	67	69	72	65	68	71
8 meses	68	71	74	67	69	73
9 meses	69	72	75	68	71	74
10 meses	71	74	76	69	72	75
11 meses	72	75	77	71	73	77
12 meses	73	76	79	72	74	78
2 años	84	87	91	82	86	90
3 años	91	95	99	90	94	99
4 años	98	102	106	97	101	106
5 años	103	108	112	102	107	113
6 años	109	114	119	108	113	119
7 años	114	119	125	113	119	125
8 años	119	125	131	118	125	131
9 años	124	130	137	124	130	138
10 años	128	135	142	129	136	144
11 años	133	140	148	135	143	151
12 años	137	146	154	141	149	158

NIÑOS		EDAD		NIÑAS	
Estatura cm	Peso Kg	Años	Meses	Estatura cm	Peso Kg
81,5	11,000	2		79,5	10,800
83,5	11,400	2	2	81,5	11,200
85,0	11,800	2	4	83,5	11,600
86,0	12,100	2	6	85,0	11,900
87,0	12,400	2	8	86,0	12,200
88,0	12,700	2	10	87,0	12,500
89,0	13,200	3		88,0	12,800
90,5	13,300	3	2	89,5	13,100
92,0	13,600	3	4	91,0	13,400
93,0	13,900	3	6	92,0	13,700
94,5	14,200	3	8	93,5	14,000
96,0	14,500	3	10	95,0	14,300
97,0	14,800	4		96,0	14,600
98,0	15,100	4	2	97,0	14,900
99,0	15,400	4	4	98,0	15,200
100,0	15,700	4	6	99,0	15,600
101,0	16,000	4	8	100,5	16,000
102,0	16,300	4	10	102,0	16,400
103,0	16,600	5		103,0	16,800
104,0	16,900	5	2	104,0	17,100
105,0	17,300	5	4	105,0	17,400
106,0	17,700	5	6	106,0	17,700
107,0	18,000	5	8	107,0	18,000
108,0	18,400	5	10	108,0	18,300
109,0	18,800	6		109,0	18,600
110,0	19,200	6	2	110,0	18,800
111,0	19,600	6	4	110,5	19,000
112,0	20,000	6	6	111,0	19,200
113,0	20,400	6	8	112,0	19,400
114,0	20,900	6	10	112,5	19,600

CALENDARIO DE APLICACIÓN DE LAS VACUNAS TRIVALENTE DPT (ANTIDIFTÉRICA, ANTIPERTÚSTICA, ANTITETÁNICA) Y ANTIPOLIO

VACUNAS (juntas)	EDAD
Primera trivalente (DPT) y antipolio	de 2 meses
Segunda trivalente (DPT) y antipolio	de 4 meses
Tercera trivalente (DPT) y antipolio	de 6 meses
Refuerzo trivalente (DPT) y antipolio	de 18 meses
Refuerzo trivalente (DPT) y antipolio	de 4 años
Refuerzo trivalente (DPT) y antipolio	de 6 años
Refuerzo trivalente (DPT) y antipolio	de 12 años

VACUNAS (por separado)	EDAD
Primera antipolio	de 2 meses
Primera trivalente (DPT)	de 3 meses
Segunda antipolio	de 4 meses
Segunda trivalente (DPT)	de 5 meses
Tercera antipolio	de 6 meses
Tercera trivalente (DPT)	de 7 meses
Refuerzo antipolio	de 18 meses
Refuerzo trivalente (DPT)	de 19 meses
Refuerzo antipolio	de 4 años
Refuerzo trivalente (DPT)	de 5 años
Refuerzo antipolio	de 6 años
Refuerzo trivalente (DPT)	de 7 años
Refuerzo antipolio	de 12 años
Refuerzo trivalente (DPT)	de 13 años

Nota: después del primer refuerzo, la edad para aplicar los siguientes refuerzos de las vacunas depende de gran medida del criterio del pediatra y de otros factores.

ESQUEMA BÁSICO DE VACUNACIÓN Y EDADES EN QUE SE APLICA

Vacuna	edad	indicaciones
Trivalente DPT (antidiftérica, anti1pertústica, antitetánica) y antipolio*	De 2 meses a 4 años	Tres dosis a intervalos de 2 meses cada una y un refuerzo al año de la última dosis. Se recomiendan tres dosis más de refuerzo posteriormente.
Antisarampionosa	De 12 a 15 meses	Se aplica una sola dosis
Antituberculosa (BCG)	De 0 a 14 años	Se aplica una dosis y se recomienda una dosis de refuerzo después de un período de7 años

* Hay pediatras que prefieren aplicar cada vacuna por separado.

Tus hijos de 1 a 12

No hay escuelas para ser padres, desafortunadamente tenemos que educar a nuestros hijos "como Dios nos dé a entender". Sobre la marcha nos vamos dando cuenta si estamos equivocados o no.

Este libro intenta dar una orientación a los padres, principalmente a la madre, ya que es ésta quien convive más tiempo con los hijos, para que tengan una idea del porqué de ciertas actitudes de sus hijos. Aquí recomendamos continuamente el amor, paciencia y comunicación de la madre hacia los hijos, ya que con esto permitiran que sus hijos se acerquen con más confianza.

Los capítulos se van desarrollando tomando de dos en dos los años por los que va pasando el niño, a excepción de los dos últimos capítulos que mencionan años diferentes ya que hay una gran diferencia entre los once y los doce años de edad.

No se puede afirmar que una madre está educando correctamente a sus hijos o que otra lo está haciendo incorrectamente ya que sólo el tiempo lo demostrará. Hay que darle tiempo al tiempo. También debemos recordar qué fue lo que nos gustó de la educación que nosotros recibimos y qué fue lo que nos desagradó.

No olvidemos que nuestros hijos no deben ser nuestros dobles, recordemos que son seres inteligentes con características y sentimientos propios. Debemos respetar su personalidad pero siempre indicándoles el camino que no los hará sufrir ni los dañará.

Se agregan algunas actividades y juegos que se pueden realizar en la casa, en el campo o en la calle, ya sea solos, con sus amigos o con la familia. Damos mucha importancia al constante contacto familiar, ya que de ello depende también la seguridad y bienestar de nuestros hijos.

El reloj despertador
(1 a 2 años)

Ha pasado la difícil etapa de adaptación a este mundo, el bebé ya duerme toda la noche sin despertar, de diez a doce horas; si usted ha sido ordenada y disciplinada durante el primer año de vida de su bebé, esto rendirá frutos en los años posteriores. Si la hora del alimento, el baño, el paseo, el juego, la siesta y el sueño se ha sabido respetar de manera disciplinada, llegará el momento en que usted ya no necesitará de un reloj despertador porque su bebé solicitará cada una de sus necesidades exactamente a la misma hora todos los días.

Durante el primero y segundo años el bebé manifestará una serie de cambios sorprendentes como el decir sus primeras palabras, caminar, controlar sus esfínteres, o avisar para hacer "pipí", podrá también comer solo, demostrar su agrado o desagrado hacia las cosas que se le muestran o proporcionan, a los alimentos; le empiezan a llamar la atención otros niños de su misma edad, sentirá especial predilección por ciertas personas, además de sus papás.

Todo lo que un niño de 1 a 2 años aprenda y entienda es de gran importancia para su desarrollo físico y síquico.

Sus primeras palabras

La mayoría de los bebés hablan poco hasta antes de cumplir los dos años de edad, aunque ya tienen la capacidad para entender lo que se les dice sin conocer el significado de cada una de las palabras.

Los niños se fijan perfectamente en el tono con que se les habla, observan detenidamente la expresión de la cara, los ademanes y movimientos que hace la persona que les habla; también comprenden si su mamá les pone atención o se mantiene indiferente. A esta edad hay que evitar hablar de cosas desagradables así como evitar las discusiones entre los miembros de la familia ya que esto puede ser una influencia negativa en el carácter futuro del bebé.

El vocabulario es muy inferior respecto al número de palabras que ya puede entender, el bebé puede aprender a pronunciar una palabra que ya hace tiempo conocía. En muchas ocasiones, un niño de año y medio es capaz de seguir una conversación, hablando con lenguaje limitado y poco claro. En el cerebro de éste se van almacenando todas las palabras que ha ido escuchando en este corto tiempo de vida, empepezando a emitirlas a través de los sonidos que forman las palabras habladas.

Sabiendo que el pequeño ya es capaz de entender las palabras y captar los mensajes, es importante tener mucho cuidado en lo que se les dice, los niños entienden todo, desde una palabra cariñosa, de enojo, de alegría, de tristeza, un regaño o una promesa no cumplida. Procure no lastimar a su hijo con palabras hirientes o falsas promesas ya que pueden afectar seriamente la seguridad de él.

Los niños escuchan atentamente las palabras de la gente que los rodea; para que aprendan a hablar correctamente y con claridad, hay que hablarles

correctamente y con claridad. Si no se desea que dentro de su vocabulario se incluyan "groserías", debemos eliminarlas del nuestro; desde el principio se debe llamar a las cosas por su nombre, no decirles que el perro se llama "guá guá" para después obligarlos a nombrar al perro por su nombre correcto; aunque parezca sencillo esto puede crear desconfianza en el niño.

❤ Sus primeros pasos

Al cumplir el primer año de edad, el bebé empezará a hacer sus pininos para caminar solo pues ya se queda de pie sin ayuda de nadie, es obvio que no podrá mantener el equilibrio por mucho tiempo. Entre los doce y quince meses de vida, aprenderá a caminar haciéndolo de manera insegura y tambaleándose mucho, se tropezará y caerá con facilidad, generalmente dándose sentones que serán amortiguados por los pañales que aún usa.

Entre los dieciocho meses y los dos años aprenderá a subir las escaleras y agacharse en cuclillas para recoger algo del suelo. No están acostumbrados todavía a usar todo el tiempo zapatos ya que éstos les resultan incómodos sobre todo los primeros días de su uso; ellos prefieren andar descalzos lo cual es muy saludable, siempre y cuando el niño esté saludable y no haya en el suelo objetos que le puedan lastimar los pies.

Los zapatos para niños pequeños deben ser escogidos de la manera más adecuada para evitar malformaciones en los pies del niño. Lo más importante es que las suelas sean antiderrapantes, que tengan relieve de goma o de cuero o que tengan una parte de la suela con relieve.

El zapato debe ser de tipo botita, es decir que cubran hasta el tobillo, procurando que la piel del zapato sea suave y dócil y la agujeta parta desde la punta del zapato para que sea fácil calzar al niño y esto no se convierta en un martirio para el niño y la mamá.

Los zapatos se deben comprar lo suficientemente anchos para que no lastimen los dedos del niño, procurando que midan de largo un centímetro más que el tamaño del pie. Los niños crecen rápidamente al igual sus pies, por esto es importante que los zapatos sean renovados por lo menos cada seis meses.

El niño de un año no debe usar más de tres horas diarias los zapatos, conviene alternar su caminar también descalzo, conforme pase el tiempo puede aumentarse el tiempo de uso de los zapatos. No le sorprenda que, acabando de ponerle los zapatos, en menos de lo que usted espera su niño se los quite, esto es normal, ya se acostumbrará.

❤ Comiendo solo

El bebé entre uno y dos años ya puede empezar a comer solo, para esto existen en el mercado pequeñas cucharas que se pueden adaptar a la mano y boca del niño. En un principio, como es lógico, se tirará la comida encima, jugará con ella y con la cuchara, quizá llegue un día en que, si se le deja solo, terminará arrojando la cuchara y el plato con todo y comida al suelo; téngale paciencia a su bebé, recuerde que él apenas está aprendiendo y conociendo esos utencilios.

No confíe en que el bebé se comerá todo lo que le sirva en el plato, tenga una reserva de comida para que mientras él juega con la cuchara, la comida y el plato usted aproveche para darle la comida en la boca con otra cuchara.

No le sirva sus alimentos en platos que se puedan romper, o con los que se pueda lastimar o herir a otros cuando lance éste como platillo volador. Acercándose a los dos años, la mayoría de los niños ya saben comer solos, aunque aún se siguen ensuciando cuando lo hacen, no lo cambie de ropa antes de comer pues con toda seguridad al final de la comida tendrá que cambiarlo y quizá hasta bañarlo.

Siente a su niño a comer en un lugar que sea fácil de limpiar, nunca lo haga en donde haya alfombra, pues será más difícil de limpiar, póngale un babero para que no se ensucie mucho la ropa y, sobre todo, tómese su tiempo para que termine tranquilamente todos sus alimentos. Recuerde que los niños pequeños sienten las emociones y es conveniente que la hora de la comida sea un momento tranquilo.

❤ Necesita amiguitos

Dedíquese un poco a observar las reacciones de su bebé cuando sale a dar un paseo con él; si ha tenido la oportunidad de encontrar a otros niños de la misma edad quizá habrá notado que ambos bebés se pueden distraer con cualquier cosa pero, cuando sus miradas se encuentran la reacción es como si se hubieran atraído por un imán.

Aunque parezca increíble, su hijo necesitará compañeros desde ahora mismo, dicen los sicólogos que la mejor edad para empezar a relacionarse es al año y medio ya que el niño empezará a comprender que, además de él, existen otros niños con los que puede jugar y convivir.

Si permitimos que el niño tenga contacto con otros niños, evitaremos que se vuelva "uraño", ya que se acostumbrará a convivir con personas extrañas y en el futuro tendrá más capacidad para trabajar en equipo y se desarrollará su sentido de colaboración.

El hecho de que el niño empiece su sociabilización, implica que tendrá que hacerlo, en primer lugar, en la calle, en un parque o jardín; debe cuidar la piel del bebé, a esta edad es todavía muy sensible, no lo exponga demasiado tiempo a los rayos directos del sol.

Al ir teniendo contacto con otros, el niño aprenderá también a defenderse y a no tener miedo, el estar en contacto con otras personas le dará más seguridad a su bebé. Los niños que son muy protegidos por sus padres, pueden asustarse hasta con ver a personas extrañas y, seguramente, su primera reacción será esconder la cara para que no lo vean o soltarse a llorar.

Si usted, por necesidad, tiene que trabajar fuera de la casa y dejar a su niño con otra persona, es recomendable que no esconda a su bebé, procure mantenerlo siempre que pueda cerca de personas extrañas. Si lo deja en guardería no le sorprenda que algún día llegue arañado o mordido o que él haya arañado o mordido a otro niño; poco a poco se irá civilizando, no lo regañe, aún no comprende que puede lastimar a otros niños así como otros niños no comprenden que pueden lastimar a su hijo.

Así como deben aprender a ser sociables, también deben aprender a jugar solos; puede llegar el momento en que la madre, debido a que su pequeño ya camina, ya grita fuerte y ya toca todo, no sepa qué hacer con él dentro de la casa; aunque se le diga que juegue un rato solo, él no comprenderá por qué mamá está haciendo otras cosas que no son atenderlo. Como no hay forma de convencer al bebé que juegue solo, hay que buscarle algo que resulte verdaderamente entretenido sin que tenga que quedar fuera de la vista de mamá. Si se encuentra usted en la cocina, los juguetes ideales para su pequeño son los trastes de plástico, las cucharas de madera y todos los trastes que tiene en la cocina que no resulten peligrosos para el niño; con éstos aseguramos que se pasará horas entretenido.

Si usted presiente que es peligroso tener a su hijo en la cocina, a esta edad ya puede quedarse solo dentro de su cuarto y para evitar que se salga y recorra toda la casa sin que usted se dé cuenta, puede instalar una rejilla en la puerta evitando dejar en el cuarto objetos que puedan ser peligrosos para el niño. Los juguetes con los que juegue el bebé deben ser de plástico ligero y de un tamaño grande para que no intente "tragárselos", recuerde que mientras más pequeño es el niño, de mayor tamaño deberán ser sus juguetes.

Evite darle juguetes pequeños a su hijo, los niños son muy curiosos y tienden a meterse las cosas a la boca corriendo el peligro de tragarse los objetos pequeños como canicas, soldaditos, monedas, etcétera. Existen objetos de metal, alambre o fierro que el niño, por curiosidad querrá meterlos en los contactos de energía eléctrica arriesgándose a recibir una fuerte descarga eléctrica.

No deje mucho tiempo solo al niño, alterne sus juegos con otros niños, con usted y solo, no lo haga sentir como un estorbo cuando lo deja en su cuarto jugando solo, procure estar cerca de él y platicarle aunque no lo pueda ver, así se sentirá acompañado y tranquilo.

Los padres pueden empezar a moldear el carácter de sus hijos desde esta edad, con paciencia y determinación se le irá preparando para que en el futuro goce de un carácter fuerte, sepa defenderse y aprenda a tomar las decisiones correctas.

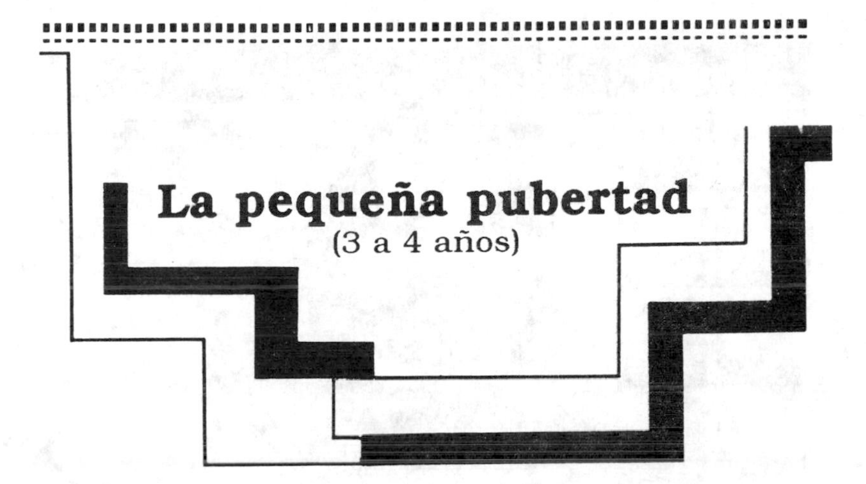

La pequeña pubertad
(3 a 4 años)

Entre los tres y cuatro años los niños desarrollan de manera sorprendente el habla, aprenden cada día una nueva palabra la cual sabrán aplicar oportunamente, pues ya conocen el significado de todas las palabras que forman su vocabulario. Cuando dicen "no" pueden acompañarlo de una explicación que llega a sorprender a los padres. Expresan correctamente sus opiniones cayendo en una exagerada sinceridad pudiendo platicar a cualquier persona lo que mamá y papá han platicado íntimamente en la casa.

Aun no hablan claramente, cambian las sílabas de algunas palabras o les cuesta trabajo pronunciar algunas consonantes, pero esto no es motivo para que la mayor parte del día se la pasen hablando. Imitarán la forma en como mamá o papá contestan el teléfono, contarán el chiste que aprendieron repitiéndolo cuantas veces se les pida. Ya sabrá contestar el teléfono y, si mamá está ocupada él puede explicar con mucha confianza lo que está haciendo su mamá.

Esta edad es un poco difícil pues el niño entra en una etapa de cambios emocionales imprevistos: ñoños, pacientes, pesados, presumidos, sentimentales, idealistas, indecisos, volubles, legales, etcétera; es como si estuviéramos tratando con un adolescente. Estos cambios emocionales pueden durar ocho meses aproximadamente, al llegar a los cinco años, el niño habrá vencido totalmente esta etapa.

❤ El dominio de su cuerpo

Alrededor de los tres años los niños son física y mentalmente más activos, él ya sabe manejar un triciclo o coche de pedales, patear una pelota, poner la mesa. Puede llevar un vaso de agua, lleno poco más abajo del borde, sin tirarlo. Puede caminar sobre una raya del mismo ancho de su pie sin salirse de ésta, puede subir las escaleras sin auxiliarse del pasamanos, cambiando de pie cada escalón. Le gusta marchar y lo hace coordinadamente y con gusto. Le emociona darse cuenta que ya puede equilibrarse en una sola pierna dando saltitos lo cual le llenará de orgullo, pues además recibirá los aplausos de la familia.

Algunos niños ya quieren ser independientes. A esta edad se saben quitar perfectamente la ropa, en ocasiones, el día menos pensado lo encontrará totalmente desnudo, no haga escándalo ni lo regañe, téngale paciencia y explíquele para qué sirve la ropa pues a él todavía le estorba.

Querrá bañarse solo, lo puede dejar siempre y cuando esté al pendiente que no le ocurra algún accidente, enséñele cómo hacerlo. A la mayoría de los niños les gusta bañarse junto con mamá o papá, son muy inocentes e ingenuos, seguramente sus miradas no tienen el más mínimo morbo. Lávele la cabeza y sus partes genitales ya que todavía no lo saben hacer bien, cuide que el piso de la regadera o la tina sean antirresbalantes, si no lo son, use un tapete de plástico para evitar accidentes.

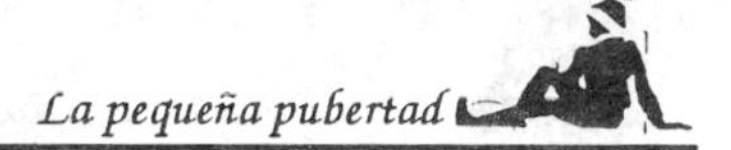

❤ Hay que cumplir las promesas

La mejor forma de hacer enojar a los niños de tres a cuatro años es, no cumplirles las promesas que les hemos hecho. Si usted le promete a su hijo llevarlo al parque por la tarde, comprarle un regalo o jugar con él y cualquiera de esto no es cumplido seguramente su hijo le reclamará la falta a esa promesa. Los adultos pensamos que el niño, por la edad que tiene, no es capaz de comprender lo que es una promesa, pero si el niño nos reclama y no lo podemos convencer de nuestro cambio de planes, nos enojamos y termi-

namos castigándolo, regañándolo, pegándole y hasta hacer berrinches fenomenales junto con el niño.

Recuerde siempre las promesas que le hace a su hijo y cúmplaselas para que pueda adquirir confianza en él mismo y en nosotros. El niño que ha perdido la confianza en sus padres, se encerrará en él mismo, se volverá introvertido y obedecerá sólo en apariencia. El niño sólo entiende el "sí o el no", aún no comprende un "quizá" o "tal vez" con lo que queremos disfrazar una promesa.

No olvidemos que a esta edad, se asientan bases de gran importancia que determinarán su carácter en el futuro. Lo más importante es que usted no prometa nunca nada a la ligera sólo para tener contento al niño momentáneamente o para que deje de dar "lata". Comprometa su palabra cuando realmente crea que podrá cumplirla. Si el niño ve que siempre son cumplidas las promesas que se le hacen, será más fácil convencerlo y se portará comprensivo cuando alguna vez, por alguna razón poderosa, no se le pueda complacer; cuando esto suceda, procure darle un premio de consolación para que no sienta gran desilusión.

De vez en cuando exíjale el cumplimiento de una promesa si el niño es capaz de cumplirla. No le pida que le prometa que ya no se volverá hacer "pipí" en la cama, ya que es imposible que pueda cumplirla, pues muchos niños hasta la edad de cuatro años todavía mojan la cama durante la noche. El niño es capaz de mantener promesas pequeñas cuando están claramente definidas y será un orgullo para él que sus padres tomen en serio sus palabras.

El dominio de su propio yo

Casi todos los niños pasan durante su desarrollo por diferentes etapas de inhibiciones; hay niños que demuestran de los tres a cuatro años una gran timidez la cual no pueden cambiar los padres ni con amenazas ni con la constante mención de su timidez. Para poder ayudar al niño se le debe tratar, en primer lugar, con mucho cariño, sin hacer mención de esto delante de él, pues esta timidez puede ser pasajera y siempre que los padres no lo conviertan en un problema.

Hay una explicación psicológica: los niños de esta edad atraviesan por una fase de tartamudez en la cual descubren su propio yo y empiezan a desprenderse de la madre, esto da lugar a una inseguridad temporal. Es normal que los niños que sólo están en contacto con sus padres y no lo están con gente extraña reaccionen de manera tímida con otras personas.

Una manera sencilla de ayudar a los niños es cultivar los contactos sociales, de esta manera aprenderán a sociabilizarse y podrán ir eliminando la timidez. No hay que ridiculizarlos sino demostrarles que no hay razón para tener miedo.

Usted puede sentirse tranquila respecto a la timidez de su hijo si con usted se muestra desenvuelto aunque sea "tímido" con los extraños. Si después de un rato, estando con personas desconocidas, se le saca de su introversión. Si pone interés en sus juegos y le atraen las cosas que lo rodean. Si le da vida a sus muñecos, animales de peluche, etc. Si demuestra

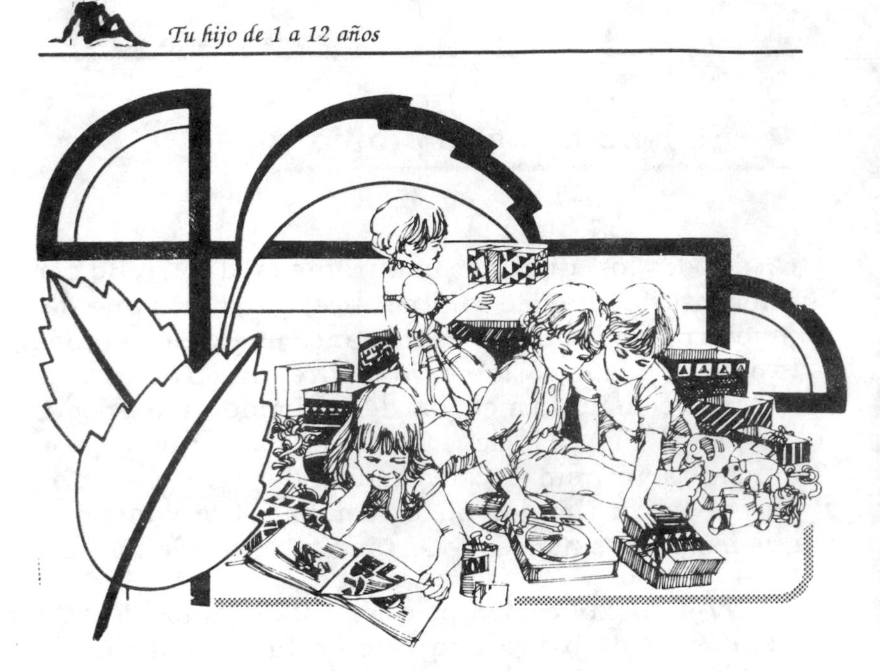

iniciativa propia. Si con niños desconocidos empieza a sentirse en confianza y a jugar.

Si su hijo, por el contrario, no reacciona como las descripciones anteriores, indica que requiere de más atención, paciencia y amor. Practique con su hijo pruebas para demostrarle que él es capaz de hacer muchas cosas al igual que otros niños. Realice competencias de carreras permitiéndole ganar. Deje que haga escándalo junto con otros niños. Apóyelo en cualquier cosa que pueda favorecer su seguridad, es probable que en algunas ocasiones parezca un niño mal educado, ésa es una señal de que las cosas están funcionando positivamente.

El mejor indicador de que su hijo no tiene una timidez que en el futuro pueda ser un problema, es su sonrisa, si su niño se ríe y le divierte cualquier cosa, significa que es completamente normal.

De los tres a cuatro años los niños necesitan mucha seguridad por parte de usted, no le inculque defectos, incúlquele cualidades . Si el niño a esta edad se sabe un tonto, un tímido, un sucio, un desobediente o un necio es porque usted se lo ha inculcado diciendo ello continuamente y si usted continúa así él se volverá como ha sido programado.

Si no quiere que su hijo esté lleno de defectos, no se los inculque, procure ser positiva, recuerde que algunos de esos defectos los está imitando o quizá los ha heredado de algún miembro de la familia. Dígale que es muy inteligente, que es buen niño, que él puede hacer bien todas las cosas y, enséñele a hacerlas con mucha paciencia, no olvide que está en la etapa de la pequeña pubertad.

❤ Son testarudos y volubles

De pronto se da usted cuenta que su hijo ya hace menos rabietas, llora menos y se rebela a algunos deseos de usted. Ahora se muestra cada vez más "listo", más "pillo", ya no es fácil convencerlo, aplique pequeñas trampas para lograr lo que quiere o no hacer lo que no quiere.

Llegará un día en que el niño decida por sí mismo la ropa que se va a poner para salir a una fiesta, seguramente hará las combinaciones más estrafalarias que usted jamás haya visto, se habrá peinado como a usted no le gusta, pero él se sentirá orgulloso de haberse arreglado y decidido solo. No lo ridiculice, ni haga un escándalo por no haberse vestido como a usted le gusta, ofrézcale dos o tres alternativas de su guardarropa, dígale que se va a ver tan bien como con la ropa que él mismo eligió. Propóngale que la ropa que trae puesta la use para una mejor ocasión, ya que para la fiesta a la que irá se le puede maltratar o ensuciar.

No subestime a su hijo, él ya es capaz de hacer muchas cosas por sí mismo, ayúdele y enséñele, al principio no las hará bien pero con el tiempo irá mejorando. Evite los enfrentamientos con su hijo, recuerde que usted es la persona que debe poner el ejemplo, no haga rabietas junto con él pues, además, usted, físicamente, lleva las de ganar. Use alternativas, juegue con él, tenga paciencia y si con todo esto él sigue de testarudo, demuéstrele con firmeza, que se debe disciplinar, no con regaños, amenazas o castigos.

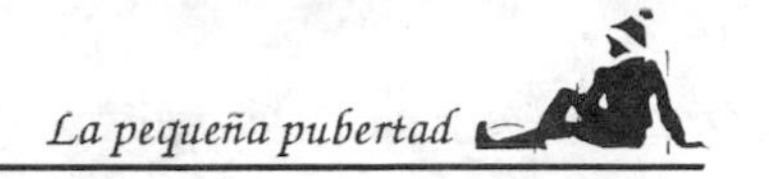

No acostumbre a premiarlo con regalos hasta por hacer "ojitos". Estimúlelo con palabras de aliento, felicítelo cuando haga bien las cosas. No lo compre pagándole por cada cosa que haga bien, incúlquele el sentimiento de colaboración, que aprenda que, así como tiene derechos, puede empezar a tener obligaciones, aunque sencillas.

Los juegos que podemos jugar

El tener hijos no implica únicamente vestirlos y darles de comer. Significa, además de esto, guiarlos, prepararlos, orientarlos, enseñarles y, algo muy importante, crear un ambiente familiar positivo en donde prevalezca la armonía, la cordialidad y la unión.

Una de las formas de integrar a la familia es a través del juego; a los niños de tres a cuatro años les entusiasman mucho los niños en edad preescolar, maduran jugando, siempre que los juegos sean organizados, y quién mejor para organizar éstos que la propia madre.

A través del tiempo se han ido aplicando diferentes tipos de juegos para ayudar a los niños. Los hay para divertirlos, para madurarlos, para relajarlos. Los juegos de relajación se pueden practicar con todos los niños, aunque están dirigidos principalmente a los que son muy inquietos.

Para llevar a cabo uno de estos juegos de relajación se deberá colocar al niño en una posición cómoda, acostado de preferencia, se necesitará un colchón o silla. Método: acostar o sentar cómodamente al niño, se le pedirá que contraiga y relaje sus músculos (apretar y aflojar). Esta fase debe durar de tres a seis segundos procurando darle instrucciones como: "siente que flotas como una nube". Después de haber realizado varias veces estas contracciones, se le pedirá que contraiga sus músculos a la mitad de la fuerza con que inició, después reducir a la cuarta parte y así sucesivamente. Cada contracción y relajación debe ir alternada de respiraciones profundas.

Otro juego es ver qué tan lento puede realizar diferentes movimientos.

Equipo: colchón.

Método: Pedir al niño que mueva la cabeza de derecha a izquierda muy lentamente. Que la mueva también de arriba a abajo de la manera más lenta posible. Se le podrá indicar que mueva cada una de las partes de su cuerpo lo más lento posible. Estos movimientos, pueden alternarse con instrucciones de acostarse, sentarse o pararse de manera lenta. Este ejercicio sirve también para relajar a niños hiperactivos.

No emplee mucho tiempo estableciendo horarios para cada actividad en el hogar. Si siempre está tratando de planear puede dejar importantes oportunidades de convivir con su hijo.

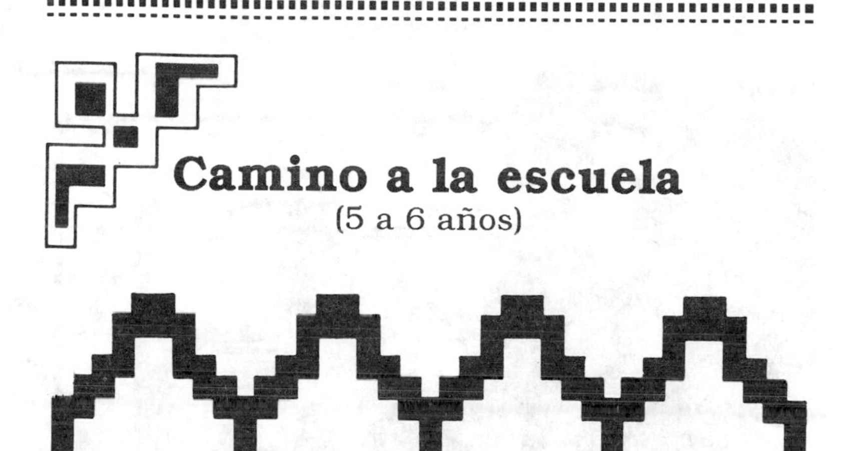

Camino a la escuela
(5 a 6 años)

El separarse de su madre para ir a la escuela implica para la mayoría de los niños independizarse de su mamá y del resto de la familia. El niño siente que ya puede hacerlo todo solo. Se enfrentará a nuevos problemas que tendrá que resolver solo, conocerá nuevos niños y, seguramente, querrá ser líder. Aprenderá nuevos juegos y descubrirá que su habilidad manual ha progresado enormemente.

Las tijeras, arma doméstica prohibida por mamá, empieza a convertirse en un principal instrumento de trabajo. Los niños sienten gran pasión por recortar todo lo que pueden debido a que se dan cuenta que es algo que pueden hacer por sí mismos, el recortar cualquier cosa es algo que forma parte de él, es una satisfacción. Aún no sabe diferenciar los papeles que son de importancia para mamá, por lo tanto, el día menos pensado puede dedicarse a hacer "papelitos" con la nota de la tintorería, el recibo del teléfono aún no pagado o el diploma de la preparatoria de su esposo.

Es importante buscar soluciones o evitar estos peligrosos recortes que pueden causar un problema. En primer lugar es necesario que el niño aprenda a respetar todo tipo de papeles que no le pertenecen, hay que hacerle entender que para los adultos son de suma importancia, para esto procure proveerlo de suficiente papel (revistas, periódicos o cuadernos especiales para recortar) y para que no se convierta toda la casa en un basurero, proporciónele una caja de cartón para que inicie su colección de todas las figuras inimaginables.

Como el niño se siente orgulloso de su nuevo descubrimiento, le pedirá que algunos de sus recortes sean exhibidos como si fueran grandes obras de arte. Complázcalo en la medida de lo posible proponiéndole ir sustituyendo paulatinamente cada uno de ellos, llegará el momento que él mismo vaya quitando personalmente todas sus obras de arte.

Los psicólogos y pedagogos opinan que la edad ideal para aprender a leer y escribir es a los seis años, por tanto no se preocupe si su niño de cinco años no lo sabe aún. Los cinco años es la edad recomendable para que el niño, a través de juegos se prepare para enfrentar retos más difíciles.

A los cinco años debe aprender, principalmente, a tener control en sus manos, a dominar su pulso, a no salirse del contorno de la figura que está coloreando, a colorear en un solo sentido, a conocer los colores. A recortar sobre la línea que se le indica. Se le enseñan ejercicios de coordinación. Empieza a recibir invitaciones a casa de sus nuevos amiguitos y a su vez él también querrá invitarlos a su casa.

A los seis años el niño ya tiene la suficiente capacidad y madurez para aprender a leer y escribir, empezará a tener responsabilidades también fuera del hogar, se dará cuenta que ha dejado de ser un bebé convirtiéndose de repente en un niño con obligaciones.

❤ Haciendo deporte

El deporte debe ser entretenido, es opinión de niños, padres, maestros, pediatras y psicólogos. Pero es muy importante saber cuáles son los intereses de los niños en cuanto a los deportes; hay que desterrar la idea de mandar a nuestros hijos a practicar un deporte que algunas vez quisimos practicar nosotros. Algunos padres buscan un deporte para sus hijos que se imparta cerca de la casa, aunque no le guste al niño.

Los médicos opinan que no se le debe obligar a un niño a practicar un deporte que no le interese y que lo pueda alejar de sus amigos. La mayoría de los padres no tienen la capacidad para hacer el papel de profesores de deporte, situación que, además, no quieren aceptar, convirtiéndose en los principales culpables de que el niño empiece a aborrecer el deporte.

A los psicólogos les interesa saber qué cualidades tiene cada niño, además de definir qué ventajas y desventajas tienen los diferentes deportes.

Los niños pasan mucho tiempo sentados en la escuela, es por eso que conviene que en las tardes dedique un tiempo a la práctica de algún deporte. Se dice que mente sana en cuerpo sano.

En la actualidad existen muchas escuelas privadas y oficiales para promover la práctica del deporte en niños, adolescentes y adultos. Hay deportivos en los que se pueden practicar diferentes especialidades deportivas.

El deporte que más entusiasma a los niños en general es la natación, si usted tiene la oportunidad de probar si es del gusto de su hijo, inténtelo, pero si no le gusta no lo obligue. Pregúntele cuál es el deporte que más le llama la atención, confíe en él pues ya sabe cuáles son los juegos que le gustan y cuáles no. El deporte además de librar energías, que algunos niños las tienen en exceso, favorece más el desarrollo físico de su hijo.

❤ Continúa la pequeña pubertad

Muchos niños entre los cinco y seis años aún no han superado la difícil etapa de pubertad precoz. Periodo en el que se rebelan a civilizarse, los niños se dan cuenta de todo lo que son capaces de hacer pero no saben cómo. Pasan por una serie de experiencias como tener más confianza en sí mismos si logran adaptarse social y exitosamente en la escuela. Adquieren más habilidad verbal. Se reduce el temor a los regaños y castigos de los adultos. Descubren que los adultos cometen, a veces, los mismo errores que ellos y por lo cual son castigados. Se dan cuenta que son muy importantes para sus padres y para lograr sus objetivos intentan chantajearlos. Se dan cuenta de qué pie cojean mamá y papá. Hacen trampas sin reflexionar que pueden ser descubiertos fácilmente.

Cuando al niño se le complace en todo y se le otorga todo lo que pide, sin ganárselo, el día que se le niegue alguna cosa querrá obtenerlo a toda costa quizá hasta robando. Aunque sus robos puedan ser dulces o chicles en la tienda, procure no consentir demasiado a su hijo, ni limitar su cariño, sitúese en un término medio, no hay que apretar mucho las riendas ni aflojarlas demasiado. Platique con él y explíquele que toda la mercancía que se encuentra en las tiendas se tiene que pagar pues quien no lo hace puede recibir un castigo por parte del personal de la tienda.

❤ Lo puede hacer solo

El vestirse se vuelve una costumbre para el niño, si se le deja la ropa acomodada en el orden en que se la debe poner, seguramente lo hará a la perfección. Es probable que aún se ponga la ropa al revés o los zapatos al contrario, empezará a amarrarse las agujetas él solo, lo cual resultará un éxito, no lo menosprecie diciéndole que otros niños ya sabían hacer las cosas mucho antes que él.

No le ponga de ejemplo la capacidad de otros niños, recuerde que no todos son iguales. El que usted le

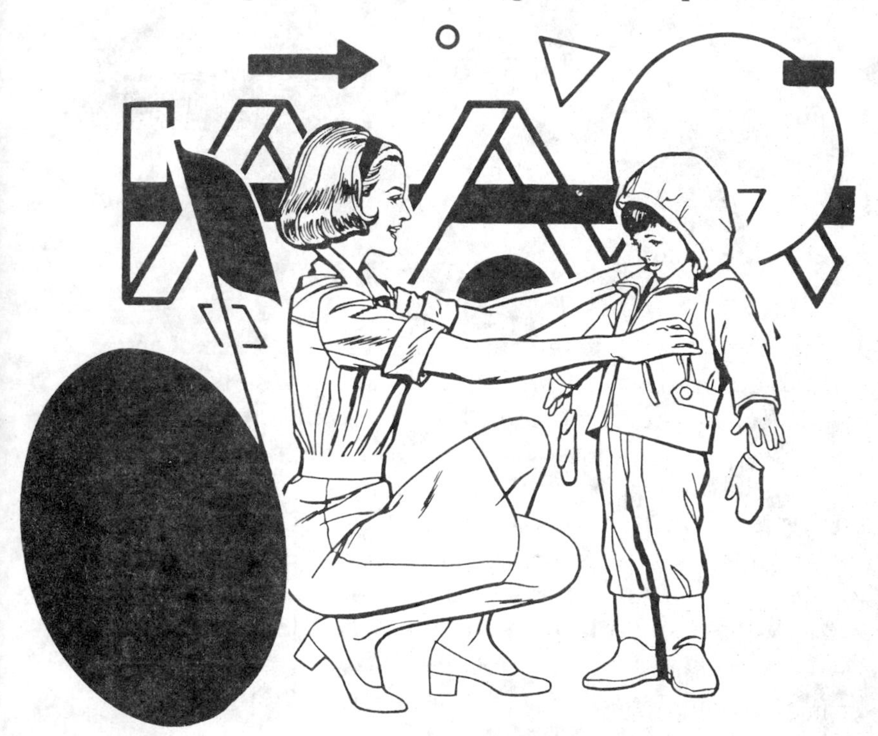

demuestre que es un gran niño le dará seguridad y confianza. Estos dos sentimientos son muy importantes para su vida futura.

Muchos niños ya saben, a esta edad, hacer llamadas telefónicas o contestar el teléfono. Si los padres tienen que salir un momento y dejar solo al niño, pueden dejarle anotado el número telefónico en donde los pueda encontrar si es que los necesitan. Tiene la capacidad de memorizar su propio número de teléfono. Esté pendiente del número que marca, ya que, a veces, por distracción, pueden marcar una clave de larga distancia y cuando llegue el recibo se llevará una gran sorpresa.

❤ Hacen cosas buenas que parecen malas

Muchos padres tienen la costumbre de arremeter a golpes en contra de su hijo antes de investigar si una situación desagradable fue provocada por él.

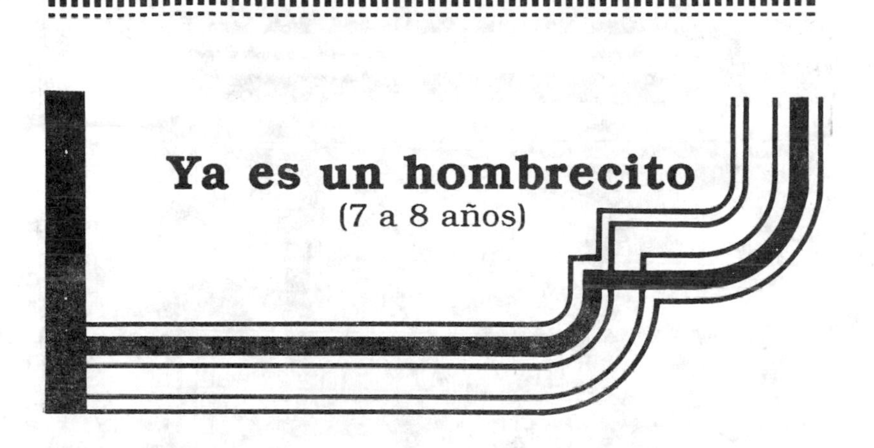

Las presiones familiares, escolares y la edad por la que está pasando obligan al niño a portarse de manera "extraña" para los adultos. No se les permite llorar porque ya no son unos bebés, los adultos queremos que se porten como personas mayores sin darnos cuenta que, así como tuvimos la paciencia de enseñarles a formar pirámides con cubos en sus primeros doce meses de vida, de la misma forma debemos enseñarles cómo enfrentarse a los drásticos cambios de su nueva vida.

Son sus primeros años de la "edad escolar", en el colegio se encuentra con algo completamente nuevo para él; su rendimiento. Apenas con pocas semanas de haber empezado a asistir a la escuela, no falta que algún vecino, tío o alguna persona mayor, le pregunte si ya aprendió a sumar, a dividir o a multiplicar. El profesor le pide que permanezca sentado casi toda la mañana, cosa que al niño, todavía le cuesta trabajo,

pero lo que es peor para el niño, el pensar lo que sus padres esperan de él mismo.

Los padres lo presionan para que sea mejor que su hermano mayor, mejor que el primito, que el vecino, naturalmente que el niño todavía necesita de nuestra ayuda, sin presiones, ya que con esto el niño puede caer en un estado de rebeldía e impotencia ya que quizá se le esté pidiendo más de lo que en ese momento puede dar.

El niño que anteriormente se dedicaba en cuerpo y alma al juego, ahora tiene que suspenderlo para dedicarle tiempo a las tareas escolares. Afortunadamente ahora, al principio de la enseñanza escolar, muchas cosas se aprenden a través del juego, y muchos profesores jóvenes están conscientes de que los niños de siete y ocho años no pueden permanecer sentados durante toda la mañana. Los niños necesitan mucho tiempo para habituarse a este cambio en su vida que es el colegio.

El primer grado de primaria es difícil tanto para el niño como para los padres y los propios maestros ya que cada cabeza en un mundo y cada niño hay que tratarlo de manera diferente pues no se sabe cómo vaya a reaccionar.

Durante su segundo año en la escuela primaria, el niño ya demuestra más seguridad en sí mismo, se acerca a su maestra para darle una flor o una manzana que se estaba reservando para el recreo; puede sorprendernos sentándose a hacer la tarea sin nuestra supervisión. Aprenderá a distribuir su tiempo y le alcanzará para jugar y ver la "tele". Ya es más formal para platicarnos sus experiencias en la escuela, con sus amigos, un día llegará diciéndonos que ya tiene novia y ésta resulta ser la más bonita de su salón.

En el proceso de aprendizaje escolar, el niño se topará con pequeños fracasos, debemos alentarlo para que continúe en la lucha por el éxito e inculcarle que, para llegar al triunfo siempre se pasará por una serie de fracasos que hay que aprender a superar.

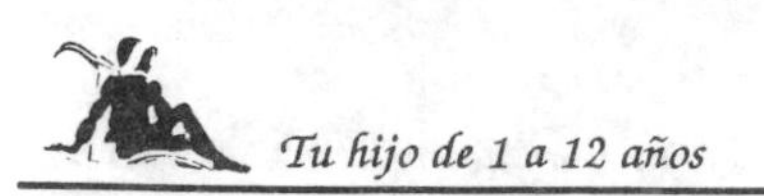

❤ "La seriedad de la vida"

Por suerte ésta aún no empieza, el niño está en continua actividad. Corre, brinca, corretea a un amigo, juega a las escondidas, aunque también le atraen deportes organizados como el futbol o el beisbol a los hombrecitos, y a las niñas: la gimnasia o la danza.

Las características del niño de esa edad es el valor y el atrevimiento, a niños y niñas les gusta trepar árboles, hacer equilibrio sobre la orilla de las bardas. Les entusiasma patinar, andar en bicicleta, nadar, experimentar nuevas técnicas en lo que han aprendido a hacer. A veces su osadía llega al extremo de arriesgar su seguridad física aunque hayan sido advertidos por sus padres.

Ya tiene capacidad para pensar lo que va a hacer, critica los errores y se apoya mucho en la lógica, tiene excelente memoria y es muy observador, percibe lo que muchas veces mamá no alcanza a ver. Tiene la habilidad de expresar sus ideas por escrito, le encanta dibujar respetando la perspectiva.

Conforme el niño pasa de los siete a los ocho años, atraviesa por una etapa en la que con frecuencia no sabe apreciar sus propias capacidades, empieza a sentir poca o mucha estimación de sí mismo. La mayoría de los niños de esta edad suelen ser un poco melodramáticos: ¡Me quiero morir!

Se encuentran en una etapa cuya disposición para competir es de suma importancia, la cual es saludable, siempre y cuando esta competencia no lo lleve a la agresión. Un niño que no ha sido estimulado para ser independiente, estará temeroso ante la competencia pensando que alguien podría enojarse si llegara a perder.

Si el niño tiene miedo a la competencia puede fallar en la escuela, se puede negar a participar en competencias deportivas, puede pretextar dolencias o malestares para evitar su participación en las competencias. Para evitar o corregir este problema se puede seguir una serie de pasos:

- Permanecer sin hacer reproches, estimulando la independencia.
- Mostrar un sincero interés en los logros del niño, sin confundir sus pensamientos.
- Debe mostrar a su hijo que reconoce sus propios valores.

Vamos a jugar

El juego, sobre todo organizado, resulta todavía de vital importancia para el niño, además de ser una terapia para el resto de la familia si éste se realiza en conjunto. Los niños demuestran una gran habilidad para retener información de varias clases, así como imágenes, palabras y letras. Se ha observado que para un niño es más fácil llevar a cabo una serie de movimientos y en seguida recordarlos y volverlos a hacer en el mismo orden, que observar a otros niños y tratar de copiar sus movimientos. Los juegos que se presentan a continuación pueden ayudar al niño a mejorar su habilidad para recordar y repetir una serie de números citados verbalmente en el orden en que le fueron presentados. Mejoran su habilidad para recordar y colocar en orden correcto una serie de imágenes presentadas visualmente.

❤ Lo que hace la mano hace la tras

En cartones o tablas delgadas de 30 por 30 centímetros, aproximadamente, se dibujará en cada tabla una figura geométrica o signos matemáticos con colores vistosos o en blanco y negro.

Se dispondrán en forma circular sobre el piso lo suficientemente separados como para que un niño pueda correr alrededor de cada una de las figuras. Un niño pasará a realizar alguna actividad alrededor o sobre cada una de las figuras ya sea brincar, correr, levantar la figura y volverla a dejar en su lugar. Los demás miembros lo observarán para después, uno por uno repetir los mismos movimientos. Todos los miem-

bros participantes podrán repetir hasta que se decida el cambio de movimientos por otro de los miembros. Se sugiere que el moderador sea la mamá, para que no surjan los malos entendidos o disgustos y el juego termine en una batalla campal.

❤ Memoria con la pelota

De la misma forma en que se organiza el juego anterior se puede hacer uno nuevo pero utilizando una pelota que no rebote mucho para que el juego no se desorganice. Se dispondrán las figuras en línea recta o en círculo y un niño, llevando una pelota, realizará todas las actividades que se le ocurran alrededor o sobre las figuras. Será imitado por los demás participantes en el juego, uno por uno. La moderadora deberá ser la mamá.

❤ Trabajar jugando

Conforme crecen los niños es importante que aprendan a hacer cosas útiles para que funcione mejor la casa. Trabajar juntos brinda a los niños la oportunidad de cultivar el compañerismo e induce a mantener una bonita conversación con los miembros de la familia.

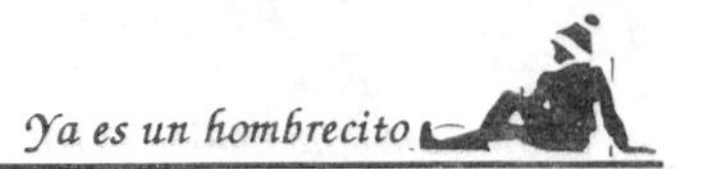

❤ Ser padres por un día

Sin necesidad de que usted se salga de la casa puede empezar a dejar ciertas responsabilidades a su niño de siete a ocho años. Bajo vigilancia permita que tienda su cama todos los días, responsabilícelo de contestar el teléfono en determinadas horas del día. Si es una niña asígnele que sirva las galletas, el café o el té cuando usted tenga amigas de visita.

Las niñas de esta edad ya pueden empezar a ayudar a mamá en la preparación de los alimentos, ya sea en la comida o en la cena y en vacaciones la ayuda la puede prestar en los tres horarios. Pueden empezar a coser pequeñas prendas que servirán para sus muñecas. Tienen la capacidad de aprender a tejer, se recomienda comprarles un estambre de color obscuro ya que uno claro quedaría igualmente oscuro.

Los niños podrán ayudar a papá a reparar el auto o a lavarlo. Si papá tiene una serie de herramientas para los arreglos de la casa no sería mala idea que se fuera enseñando al niño para que después mamá pueda contar con un hombre más para realizar esos pequeños arreglos como apretar un tornillo, clavar un clavo, poner el agua al coche o limpiar el coche de mamá.

Hay actividades que puede realizar la familia en conjunto, como: arreglar el jardín, pintar la casa. Arreglar el clóset puede ser muy divertido para los niños, ya que empezarán a salir cosas que ya no recuerdan u objetos de mamá que pueden convertirse en un atractivo juguete. Limpiar las ventanas o lustrar los zapatos son actividades que en conjunto puede hacer la familia, además de divertirse, sirve para que surjan momentos de acercamiento. Para ejecutar estas actividades, es muy importante la influencia de mamá pues al final ella es la persona que mejor conoce a cada uno de los miembros de la familia.

La preadolescencia
(9 a 10 años)

Conforme su hijo se acerca a los 10 años va apreciando grandes cambios. En los chicos disminuye su manera de ser tiernos e inocentes, su piel se presenta con más cicatrices y se multiplican las manifestaciones de fuerza. El niño de esta edad procura contener las lágrimas cuando recibe un fuerte golpe ya sea por las caídas o por las peleas con otros niños. En esta edad, los chicos huyen del agua en cuanto hay oportunidad, es difícil convencerlos de que se deben bañar diariamente. En ocasiones pueden presentar una baja en el rendimiento escolar y ocultarlo hábilmente a sus padres para lo cual lo más inteligente es platicar con el niño para saber qué es lo que le está molestando de la escuela: la maestra, sus compañeros o las mismas relaciones familiares.

En esta etapa los chicos son capaces de sacar de sus casillas a mamá, las niñas la hacen sonreír de manera condescendiente. Las pequeñas señoritas abandonan sus muñecas y se dedican a cuidar al máximo su guardarropa. Procuran que sean del mismo color y tono las calcetas, la blusa y el moño de la cabeza, ensayan peinados diferentes procurando estar a la moda. Escogen a su "mejor amiga" con la cual se enojarán cada tercer día pero a quien estarán unidas en cuerpo y alma. Sus conversaciones no son más que

murmullos y risitas y su estado de ánimo preferido es "estar ofendida".

Tanto chicos como chicas, se rechazan abiertamente ya que existe una total incomprensión mutua. Ellos se sienten lo "máximo" considerando a las niñas unas "tontas" y viceversa.

Los psicólogos opinan que esta edad es la ideal para darles confianza en sí mismos y seguridad para las crisis de la pubertad. El niño se encuentra con una gran capacidad de ilusión, con la que se entrega a sus problemas sociales, manifiesta una forma totalmente exenta de perjuicios y llena de espontaneidad. El niño en general está más suelto y mentalmente más flexible.

Las amistades son importantes para un niño de diez años, con sus amigos puede ir al cine, a la nevería, salir en bicicleta o hacer los mandados a su madre ya que aumenta el margen de libertad pues ya lo dejarán ir solo a las excursiones que se convertirán en inolvidables, sobre todo si se hacen en compañía de sus amigos, quienes le ayudarán a darle más confianza pues hará con ellos lo que sería incapaz de hacer solo.

Gracias a las diferentes amistades el chico va descubriendo aspectos diferentes de su propia personalidad. Toma conciencia de la importancia de tener amistades porque representan una compañía escogida por ellos y no impuesta, se divierten más cuando están con amigos. Cuando se encuentran en problemas pueden recurrir a los amigos. Sin la presencia de los amigos, los niños pueden sentirse hasta abandonados.

❤ Los modales en la mesa

Estos modales, ahora brillan por su ausencia, lo cual es una señal inconfundible de un sano apetito. Los niños de nueve a diez años emplean toda su vitalidad lo cual les abre el apetito. Cada familia, de acuerdo a sus costumbres y su educación tiene un concepto diferente de lo que son los modales en la mesa, aunque es generalizada la costumbre de usar cuchara, cuchillo y tenedor así como servilleta para limpiarse las manos y la boca cuando se ensucien.

Por higiene, es importante inculcarle al niño el lavado de las manos antes de cada alimento así como también después de ir al baño.

Existen dos fórmulas eficientes para la enseñanza de los modales en la mesa: tener paciencia y dar un buen ejemplo. No pensar que una mancha es el fin del mundo. No avergonzarse al salir a comer a un restaurante con los niños. Hay que dar tiempo al tiempo.

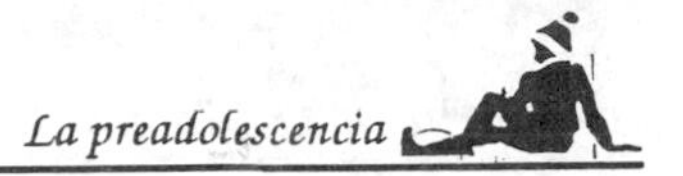

❤ La televisión y los videojuegos

El tiempo que se le debe dar a un niño para que lo emplee en estas actividades, está en función de lo adecuadamente que el niño se ocupe de las necesidades de su vida, su salud, sus tareas y su trabajo en la escuela. Si éstas son atendidas debidamente, el resto del tiempo es suyo. Debemos ayudarle a organizar su tiempo y enseñarlo a respetarlo así como respetárselo nosotros. Recuerde cuando era un bebé de meses; su

horario de alimentos y del baño era tan exacto que usted ya no tenía necesidad de un reloj despertador, pues su bebé lo hacía. Así ahora, a los nueve o diez años, debe marcar horarios para las diferentes actividades, disciplinarlo y respetar esa disciplina que usted le inculcará.

Si se establece un horario y se impone una disciplina, que no tiene que ser demasiado rigurosa, el niño tendrá tiempo de ver la televisión y jugar con el videojuego. Trate de ayudarlo en sus tareas, ayúdelo a estudiar, a ellos todavía les hace falta que alguien esté al pendiente de sus obligaciones, procure no resolverles todos sus problemas, ni le haga usted la tarea ya que de esta manera no lo estará ayudando a ser independiente.

No caiga en el error de ser una madre dominante y manipuladora pues esto llevará a su hijo a un punto en que no sepa tomar decisiones y la vida se convierta aburrida e inútil debido a que usted está constantemente indicando a su hijo lo que debe o no debe hacer.

❤ Amante de los libros

Su hijo aprendió a leer en el colegio, pero es usted quien debe inculcarle el amor a los libros y a enseñarle lo entretenido que es leer. Probablemente usted en su infancia devoró literalmente libros de Mark Twain o Julio Verne y ahora esos mismo libros se encuentran en el fondo de la caja de juguetes de su hijo, objetos que resultan de poco interés para los niños ya que en la actualidad se está luchando en contra de la televisión y los videojuegos.

Todos los niños deben leer, sobre todo en los primeros años de escuela, esto les permitirá tener una ventaja que les beneficiará durante toda su vida de estudios. No existen recetas infalibles para inculcar

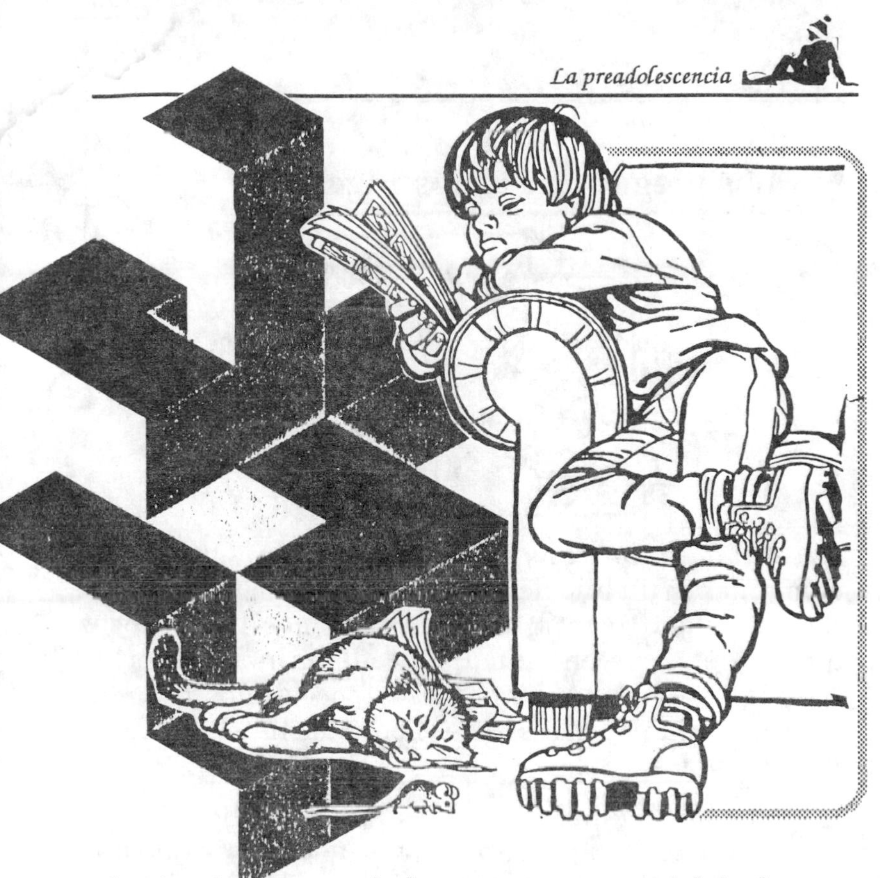

al niño el gusto por la lectura, pero usted debe buscar alguna trampa para hacer caer a su hijo en el hábito de la lectura.

Si le permite leer en un principio "comics" para después cambiarlos por lectura de enciclopedias infantiles, las cuales además de tener ilustraciones atractivas para los niños, están escritas en letras grandes para que sea más fácil de leer. Puede marcar un horario de lectura familiar, siéntese con sus hijos a leer todas las tardes durante veinte o treinta minutos cuentos, aventuras o enciclopedias y platíquelas o discútalas con sus hijos; de esta manera podrá empezar a inculcarles el amor por la lectura.

Los juegos que todos jugamos

Juventud, divino tesoro.... cita un refrán. Qué bendición el tener un hijo de nueve o diez años, todavía nos permite jugar con él, todavía podemos hacer cosas que no les parecen ridículas, todavía nos siguen la "corriente". Aprovechemos esos pocos años que nos quedan para poder disfrutar con ellos muchos juegos y actividades.

Para toda la familia: de revistas o periódicos, recortar algún tema agradable, ya sea un paisaje, una casa, un jardín, una familia realizando alguna actividad, etcétera. El recorte debe ser de un tamaño mínimo de 15 cms., éste se pegará sobre un pedazo de cartón o cartulina del mismo tamaño. Se recortará en pequeños pedazos de forma desigual, procurando que los recortes no sean muy pequeños y alcancen dos o tres para cada uno de los miembros de la familia. Asígnele a cada uno de los miembros una labor del hogar y, conforme vaya terminando cada una de sus labores, tendrá derecho a colocar una de sus piezas hasta terminar el rompecabezas. Cuando el rompecabezas está completo, significa que las labores de cada uno fueron finalizadas. Se puede armar un rompecabezas diferente cada semana.

Ahorrando para comprar

Si usted acostumbra remunerar económicamente a sus hijos después de que le hayan ayudado a realizar alguna labor doméstica, puede aprovechar para inculcarles también el hábito del ahorro. La mayoría de las personas ahorran para comprarse algún artículo que desean tener. Los niños ahorran principalmente para comprarse un juguete, un aparato electrónico, unos tenis caros o los pantalones que están de moda.

Puede resultar una arma de dos filos pagarles a los niños por las labores que están realizando, pues podría llegar el momento en que no deseen colaborar en los quehaceres de la casa si no es a cambio de dinero. Usted puede evitar eso, sugiriéndole a sus hijos que, con lo que usted está ahorrando por el pago de servicio, en pocas semanas podría comprar un pequeño radio, un tocadiscos o quizá, con una poca de ayuda económica de usted, hasta un pequeño televisor que podría quedar en el cuarto del niño.

❤ Pajaritos a volar

Las vacaciones tan esperadas, por fin llegaron. ¿Qué necesitaremos? Lo primero será, reunir a la familia y ponerse de acuerdo en algo que a toda la familia le gustaría, recuerde que su niño ya opina; un viaje el fin de semana, ir a la playa, al mar, a las montañas, salir de la ciudad o quedarse a conocer museos y centros recreativos que tiene el lugar donde vivimos.

Quizá usted, antes de salir fuera de la casa, desee un pequeño cambio en la casa, limpiarla a fondo o pintarla. Es importante organizarse y estar de común acuerdo toda la familia, así como también procurar complacer a todos para que estas vacaciones sean inolvidables.

En las vacaciones su hijo puede obtener ganancias económicas también fuera de la casa, con los vecinos, ya sea tirándoles la basura, lavándoles su coche, limpiar los vidrios de la casa, hacer mandados, repartir volantes en las casas del vecindario, etcétera. El dinero que el niño obtendrá como resultado de alguno de estos trabajos, le podrá servir para pagarse sus gastitos.

Empiezan los secretos
(once años)

El día menos pensado, nos encontramos con la sorpresa de que nuestro pequeño niño de once años ya tiene secretos para nosotros. Un buen día, limpiando el cuarto del niño, cuando él se encuentra en la escuela, descubrimos debajo del colchón las fotografías de una modelo semidesnuda o una tierna y romántica carta de amor. Los niños de esa edad desean tener un lugar o mueble sólo para él y si es posible que tenga chapa y sólo él disponga de la llave.

A los once años, lo niños empiezan a soltarse cada vez más de los padres. Poco a poco van reafirmando su propia personalidad y buscan cada vez más su independencia. Empiezan a tener su vida privada, dispuestos a hacerla respetar a toda costa. Por supuesto los padres deben respetar este derecho a la vida privada de sus hijos. Naturalmente este respeto no debe marginar el derecho de los padres a cuidar la seguridad de sus hijos. Hágase amigo de su hijo, cuéntele pequeños secretos para que él a su vez le pueda contar los suyos, de esa manera usted podrá estar enterada de lo que hace, piensa y siente su hijo. No lo obligue a que le confiese todo, pues con esto lo único que usted logrará es que su hijo se empiece a alejar de usted. Cuando le cuente él a usted algún secreto, no se asuste ni tampoco lo regañe, lo mejor es escucharlo. Ya habrá oportunidad de aconsejarle. Mientras ustedes están dialogando como amigos, no lo regañe, espere hacer esto en otra ocasión. Respetando a nuestros hijos nos iremos ganando su confianza.

❤ Disciplina, estímulo y protección

El objetivo de los padres es, principalmente, ayudar a nuestros hijos a disciplinarse a sí mismos, de forma tal que puedan encontrar un estilo de vida que les permita una verdadera realización.

El niño de once años, que durante sus años anteriores ha recibido de manera afectuosa una correcta disciplina por parte de sus padres, tendrá, con toda seguridad, una adolescencia menos difícil. Habrá ocasiones en que parezca que nuestro hijo jamás recibió la mínima orientación, seguramente estas actitudes son pruebas que el niño le estará haciendo para ver hasta dónde puede salirse del "huacal".

A esta edad nuestros hijos empiezan a juzgar nuestra conducta, para evitar su desconfianza, el mejor remedio es la comunicación y aceptar ante sus ojos, que los padres también, como todo ser humano, se pueden equivocar. A veces nuestros hijos, al juzgarnos, lo hacen acertadamente, pero existen muchos padres que no quieren aceptar sus errores.

Hay pocos niños de esta edad que se sienten lo suficientemente seguros de sí mismos, dando lugar a no saber reírse de ellos mismos y no permitir que los demás se rían.

En su interior existen muchas perturbaciones propias del crecimiento, a veces parecen tan serios que pueden dar un aire divertido a los adultos quienes no pueden recordar lo que sentían ellos mismos cuando tenían la edad de once años. Cuando el niño empieza a entrar a la adolescencia se vuelve más introvertido

y penoso, no es fácil platicar con él, sin embargo, él sí platica demasiado con sus amigos. A pesar de esto ellos desean ser comprendidos por los adultos, principalmente por sus padres.

Igualmente se confunden si reciben alabanzas por un trabajo que han realizado con mucho esfuerzo, así como se sorprenden también de no recibir halagos por uno realizado sin el menor interés.

❤ Crecimiento doloroso

Además de crecer rápidamente durante la lactancia, los niños también lo hacen durante la adolescencia, las niñas lo hacen, además del período de lactancia, entre los diez años y la regularización de su regla. Los niños crecen desde los once años, hasta que les cambia la voz.

Esta época es dolorosa ya que tienen que adaptarse los huesos, los músculos y las articulaciones. El cuerpo tiene que volver a encontrar su equilibrio, pero antes de que se ajuste completamente el cuerpo a las nuevas dimensiones del adolescente, pasa por una

serie de dolores, los cuales no son una enfermedad. Su duración puede ser de aproximadamente una a dos semanas y volverán a aparecer durante el próximo "estirón".

Un crecimiento rápido también puede producir irregularidades circulatorias, anemia o alteración del sistema nervioso, careciendo esto de peligro alguno, pero es recomendable consultar al médico cada vez que su hijo se sienta realmente mal, que por lo general es fuera del horario de clases.

El mejor remedio contra los dolores del crecimiento es la práctica de la natación o un tipo especial de gimnasia. Los profesores de educación física saben de antemano que a los niños de esta edad no se les debe forzar mucho, sobre todo en deportes que tengan que cargar objetos pesados.

El niño de once años y el sexo

En años anteriores, nuestro hijo de once años manifestaba un abierto interés y curiosidad por todo lo relacionado a la formación de los bebés. Hacía preguntas como: ¿Por dónde nacen los bebés? ¿Cómo salen? ¿Por dónde salen? Si ya no hace preguntas de este tipo será porque ya ha averiguado más sobre este tema a través de sus amigos o porque experimenta mayor timidez y ve más cercano el momento en que formará parte de su vida.

Esto puede ser una etapa natural dentro de su desarrollo, a pesar de que el niño tenga más conocimientos respecto a este tema, experimenta una gran

cantidad de dudas que sabe que las únicas personas que se las pueden disipar son sus padres o adultos de confianza. El niño podrá preguntar con confianza, si usted no demuestra estar pasando por un momento embarazoso. A veces a los padres les resulta más fácil darles explicaciones a un niño de cinco años que a su propio hijo de once años.

No debemos propiciar el momento para hablar de sexo a nuestro hijo, debemos dejar que él libremente haga las preguntas que le interesen. No le sorprenda que su hijo haga preguntas que usted ni se imaginó que su hijo supiera, no se asuste, responda a sus preguntas de la manera más sencilla.

Actualmente en la mayoría de las escuelas, a los niños ya se les dan pláticas de orientación sexual, dándose al nivel de cada edad del niño, esto ha ayudado a los padres actuales facilitándoles la manera de tratar el tema con su hijo de once años.

El niño puede leer sobre cuestiones sexuales si usted le proporciona una lectura adecuada a su edad, para él es importante sentir que cuenta con nuestra autorización para averiguar todo lo que le interesa conocer respecto al sexo.

Si su hijo es demasiado reservado y durante el principio de su adolescencia no le hace preguntas, no piense usted que es porque lo ignora todo y es tan inocente como un bebé. Motívelo de una manera inteligente para que le haga preguntas, quizá no sepa cómo hacerlas y prefiera hacerlas a sus amigos quienes con toda seguridad le darán alguna información equivocada.

❤ ¿La mens... qué?

Sería una gran idea, si es que todavía no lo hemos hecho, hablar con nuestra hija de once años acerca de la menstruación. De preferencia debemos hacerlo en los momentos en que demuestre estar interesada o tome conciencia de los cambios por los que está atravesando. La menstruación se manifiesta entre los diez y 17 años de edad, aunque en la mayoría de las mujeres ésta se presenta a los once años.

Si a su niña de once años usted la prepara para la llegada de un cambio en su organismo, su niña lo verá de la manera más natural del mundo.

Hay niñas que esperan la llegada de su menstruación con una gran emoción, piensan que la llegada de ésta las va a capacitar para entrar al misterioso círculo de la femineidad. Sabemos perfectamente que la menstruación es la liberación de óvulos no fecundados que se expulsan mensualmente en forma de flujo sanguíneo. Para las niñas que no han recibido información anticipada respecto a este proceso natural, puede hasta provocar sentimientos de culpabilidad, además de llevarse un buen susto.

A algunas madres se les dificulta hablar de una forma natural con su hija acerca de la menstruación, a pesar de su experiencia y de haberse casado y tener hijos, este tema sigue siendo para ellas una especie de "tabú". Nuestra actitud mental es muy importante para poder orientar e informar correctamente y de manera sana a nuestros hijos.

A muchas niñas de esta edad les desagrada la menstruación, pues se sienten con menos libertad, sobre todo porque durante los primeros meses la mayoría de las niñas tienen períodos irregulares, cólicos intensos y un gran flujo durante todo el período. Hay que explicar a nuestra hija que todo esto con el tiempo se irá normalizando y que los dolores menstruales se retirarán con el tiempo.

 ♥ 

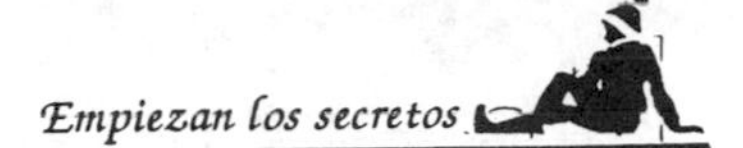

Espejito... Espejito

De pronto se encuentran a sí mismos sumamente feos, se sienten demasiado gordos o flacos, altos o chaparros. Empiezan, en algunos niños, a aparecer las espinillas y muchas veces no encuentran suficiente comprensión por parte de los padres.

En este periodo, las niñas sufren cambios más radicales que los niños, ya que aparece su menstruación, les empieza a crecer el busto, tienen que empezar a usar pequeños corpiños teniendo que dejar para siempre, y en algunas ocasiones en contra de su

voluntad, sus queridas camisetas infantiles. Esta etapa pueden superarla y aceptarla fácil y rápidamente las niñas que tienen una o más hermanas mayores, pero si su niña es la mayor y casualmente su siguiente hermano menor es hombre seguramente ella practica juegos propios de los niños, por lo tanto será doble trabajo adaptarse a ese nuevo cambio de vida que es el de ser femenina.

En esta etapa, las niñas empiezan a dar mucha importancia a la apariencia física. Hay quienes ya se sienten todas unas damas y se comportan como tal, pero habrá quienes no acepten verse como señoritas y tratan a toda costa parecer hombres en su físico y en su comportamiento. Les empiezan a gustar los niños y saben que la única forma de acercarse a ellos y que éstos a su vez las admitan, es comportándose como ellos y vistiéndose en la misma forma.

Hay que tenerles paciencia, poco a poco ellas mismas querrán parecer más femeninas, cuando acepten los cambios que han experimentado.

Los varones, en su mayoría, experimentan durante este año pocos cambios, aunque a veces empiezan a demostrar un gran interés en su apariencia física. Lo mejor que pueden hacer los padres durante el inicio de esta etapa es fortalecer la seguridad en sí mismos.

✧ ☆ ✧

❤ La época de adaptación

Esta época es, quizá, un período de conformismo, usar todo el día el uniforme de la escuela, lucir de la misma manera que el resto de sus compañeros, les molesta y apena no llevar el suéter, el pantalón o la falda exactamente de la misma marca que el resto de sus compañeros. El niño de esta edad, no correrá a quejarse con su mamá, sino que tratará de solucionar el problema con sus compañeros sin la intervención de los adultos.

En algunos niños, la presencia de los padres puede resultar un obstáculo debido a que la crítica constante de los padres hacia los hijos desarrolla en ellos un sentimiento de inseguridad. También les puede apenar la presencia de la madre, ya que el resto de sus compañeros pueden interpretarla como si hubiera ido a cuidar a "su bebé". Quieren demostrar que ya no necesitan de ningún adulto para tomar decisiones y resolver sus propios problemas.

A los once, el niño es más consciente de sus defectos que de sus virtudes, pero aún así, no acepta tales defectos. La mayoría de los niños de once consideran que la mejor edad es la comprendida entre los quince y los diecisiete años, debido a que a esa edad ya podrán entrar a una "disco" e ir a las fiestas.

La mayoría de los niños sueñan con ser personajes célebres, ser el centro de atención. Sueñan con la fama, ser el primero. Los varones ya hacen planes de entrar a la Universidad sabiendo a qué Facultad van a ingresar. Piensan más en su profesión que en el casamiento, y casi nunca piensan en una esposa concreta. El dinero parece influir sobre su decisión.

Las niñas, por el contrario, piensan más en las cualidades de su futuro marido que en su profesión. Ellas quieren que su esposo sea honrado, bueno, comprensivo, de buen carácter y que tenga sentido del humor. Del aspecto económico, lo que más desean es que gane lo suficiente para vivir y comer.

❤ También le gusta jugar

Durante la niñez todos los juegos son de importancia para el aspecto afectivo y social. Esta en una edad en la que los niños participan de manera entusiasta en los juegos, sobre todo en los que se realizan en la escuela, en parte porque es una forma de evadir las responsabilidades que vendrán con la adolescencia.

Los juegos deportivos, los de diversión y otro tipo de actividades, también se pueden realizar en casa con la familia.

Noche de ronda

Reúnase por lo menos una vez al mes con los miembros de su familia en el lugar más cómodo de la casa, con la televisión apagada y, si es posible alumbrado con una pequeña lámpara, para escuchar la música que le gusta a cada uno.

Se puede empezar por escuchar la música preferida del miembro más chico de la casa, siguiendo con la de los adolescentes y terminando con la de mamá y papá. Cuando se llegue a ésta, probablemente los hijos huirán, pero mientras su música fue escuchada, se sintieron importantes.

Mientras se escucha música tranquila, la cual puede ser clásica, se puede aprovechar la lectura de las obras literarias preferidas por cada uno.

¿Cuántos juegos sabes?

En el patio de la casa se dibujan con gis diferentes figuras geométricas –una cada participante– lo suficientemente grandes como para que dentro de cada figura se pueda bailar, brincar, etcétera. Dentro de las mismas figuras se escribirá un número, de dos al cinco. Correrán todos en círculo durante tres segundos, procurando quedar al término de este tiempo dentro de una de las figuras geométricas. Empezando por la derecha, cada miembro realizará diferentes actividades de acuerdo con el número que marca la figura geométrica.

Practique también con su hijo simulacros para casos de desastre. Instrúyalo en la forma que debe actuar para casos de incendio, temblor o inundacio-

nes. Antes que nada indíquele que debe mantener la calma para poder pensar qué decisión tomar. Hágale saber todos los peligros que pueden representar objetos de uso cotidiano, sobre todo los de la cocina. Solventes, limpiadores, la misma estufa. Enséñele a usarlos; dígale que se pueden convertir en los peores enemigos para su seguridad si no se usan correctamente.

Enséñele también lo importante que es el cuidado y respeto a la naturaleza. El cuidar una planta es muy relajante, seguramente usted ya lo ha comprobado, incúlquele a su hijo el amor por la naturaleza. Ya en la escuela le habrán pedido, al principio del año escolar, un planta para la escuela. Cómprele otra para la casa y responsabilícelo para que esa planta esté siempre alimentada y cuidada, con esto, además de aprender a cuidar de la naturaleza, se dará cuenta que para lograr un objetivo hay que empezar por el principio y tener paciencia.

El primer amor
(12 años)

Los doce años traen cambios favorables, pues se vuelve más razonable, la vida se vuelve más plácida tanto para el niño como para sus padres. Adquiere una nueva visión de sí mismo y de sus compañeros. Empieza a cambiar su sentido del humor, se bromea con mamá o le hace caricias muy tiernas.

Se presenta un gran desarrollo psicológico demostrando ser amistoso, dispuesto a colaborar y deseoso de agradar. Demuestra ser menos ingenuo en las relaciones sociales, llevándose mejor con las personas que lo rodean. Si tiene hermanos menores, demuestra ser más responsable y madura cuando están bajo su cuidado.

Las relaciones entre madre e hija muestran un marcado progreso de madurez, ahora ya no reacciona con llanto, sino puede aplicar su sentido del humor.

El niño de doce años, ya no desea que lo consideren como un niño, aunque éste todavía es un rasgo carac-

terístico de inmadurez, lo cual no hay que decirle. No debemos olvidar que todavía se encuentra en las primeras etapas de la adolescencia.

Recordemos que el crecimiento y la madurez son una serie de altibajos, así como puede aparentar una gran madurez, de repente puede estallar en un gran berrinche como un bebé.

El último grado de la primaria puede resultar un poco aburrido pues ya han estado seis largos años dentro de la misma escuela y, quizá, con el mismo maestro. Les empiezan a aburrir las misma caras de los maestros, los compañeros y hasta los mismos amigos.

De repente se les despierta el entusiasmo por saber que será su último año en esa escuela pues ya pronto cambiarán de ambiente, de compañeros y de maestros.

La mayor preocupación del niño de doce es lo referente a la escuela: los exámenes, la boleta y la posibilidad de no aprobar grado, ya que empieza a tomar más conciencia de la importancia que tiene la escuela para su futuro. Ya es más responsable en cuanto a las tareas, mamá ya no lucha tanto para que cumpla con sus obligaciones escolares, aunque él todavía desea que le ayuden un poco, pues hay cosas que se le dificultan.

En la escuela conocerá a la niña o al niño que considerarán como su primer amor, quizá este amor no se entere jamás o quizá le corresponderá. No hay que burlarse de él pues lo tomará tan en serio como cualquier persona adulta. Recibirá cartas de amor o pequeños regalitos que también su hijo corresponderá y guardará en un lugar especial

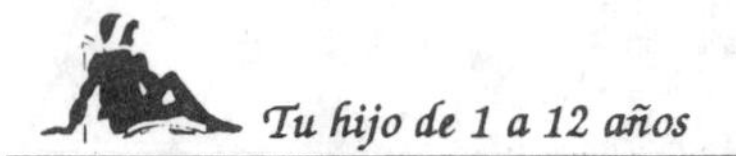

La transformación del primer amor

El primer amor invade al adolescente, todavía hace poco calificaban a los chicos y chicas de su misma edad como tontos o tontas y hoy, cuando se acercan a un niño o niña con determinadas características agradables, el corazón se les acelera. Este cambio de emociones sólo puede superarlo el niño buscando en la persona querida las similitudes. Que a los dos les guste el helado de chocolate, los huevos estrellados, pasear en bicicleta, etcétera.

Hasta hace poco le parecía de lo más cursi que mamá y papá escucharan música romántica, ahora él o ella también suspirarán con canciones románticas interpretadas por jóvenes cantantes. No vaya a tomar tan a pecho el que su hijo, que antes le costaba a usted

un trabajo enorme convencerlo que se bañara, ahora por el hecho de estar ilusionado se bañe sin necesidad de que se lo ordene. Recuerde cuando usted tenía la edad de su hijo.

No sea irónica con su hijo o hija, recuerde aquellos maravillosos días de su primer amor y comprenda y ayude a su hijo.

Prepárese también para que, el día menos pensado, llegue su hijo con su novia o novio a presentárselo, no se haga usted la ofendida, ese amor es todavía muy inocente y, con toda seguridad, no durará toda la vida. Existe la posibilidad de que su niño vuelva, en poco tiempo, a ser como antes y recuerde ese amor sólo como una experiencia pasajera en su vida.

La primera desilusión de amor podrá tenerla a los once años, hágale ver que no todas las personas que a él o ella le gustan estarán dispuestas a entablar una amistad amorosa con él. Enséñele a superar esos baches que encontrará en su camino a lo largo de toda su vida. Prepárelo para enfrentarse a las desilusiones de amor.

❤ Un cigarro no lo hace adulto

Se calcula que el dieciocho por ciento de niños entre los doce y quince años fuman regularmente, por desgracia usted no podrá evitar que su hijo algún día pruebe su primer cigarro. Esto es un acto de curiosidad mientras su hijo aún tenga los doce años, pues

probablemente pensará, después de haber probado el primer cigarro, "¿Cómo los adultos pueden hacerlo si sabe tan horrible...?". Recuerde que se educa con el ejemplo, si usted o su esposo son personas fumadoras, va a ser un poco difícil que convenza a su hijo que él no lo debe hacer.

El fumar en el adolescente de doce años es una especie de emancipación interna y externa con la que siente él que podrá entrar al mundo de los adultos. Cuando descubra usted que su hijo fuma, dialogue con él, explíquele el daño a su salud que puede provocar el cigarro y que, además, se podría convertir en un hábito muy difícil de erradicar.

Explíquele que mientras más temprano se empieza a fumar más posibilidades hay de adquirir cáncer y, lógicamente, menos tiempo de su vida se tiene. No

deje que sea su hijo quien decida en qué momento se va a olvidar del cigarro, no se le olvide que todavía no tiene la suficiente madurez y si usted le da la oportunidad de decidir, seguramente ésta será el continuar fumando.

Cuando se habla abierta y francamente con los hijos, se pueden obtener mejores resultados y, con toda seguridad, pronto dejará de fumar.

♥ Conciencia sexual

A los doce años las niñas empiezan a sufrir transformaciones físicas bastantes visibles, les empieza a crecer el vello en la zona púbica, empiezan a dar el estirón, hay algunas que no sólo crecen en estatura sino que también suben de peso, se empiezan a poner "gordas", pero eso no es motivo para que dejen de atraer a los muchachos aunque aparente ser una "marimacha".

Su menstruación ya será bastante regular, no sin seguir padeciendo los cólicos tan molestos en las jóvenes. Algunas niñas tendrán más espinillas en la cara y hasta barros. Es conveniente que para evitar que estos puntitos de grasa se conviertan más adelante en un rebelde acné, consulte al médico, él seguramente recetará a su hija el medicamento conveniente para evitar que algo tan normal en los adolescentes se convierta en problema.

A los niños les empieza a interesar el sexo más a los once años. Algunos niños todavía permiten que su madre los vea desnudos, aún cuando sus órganos genitales están más crecidos y empieza a aparecer el vello púbico. Sin embargo a muchos no les atrae la cuestión de temas sexuales con los padres, pero no les molesta mucho tocar el tema con los amigos. Ahora ya no intercambian nada más estampitas de coches convertibles, sino que prefieren intercambiar estampitas de modelos desnudas.

Regularmente se pueden producir erecciones, que pueden ser de manera espontánea o bajo diversos tipos de estímulo. Podrá tener el niño de doce años una pequeña eyaculación, cosa totalmente normal, no se asuste usted, explíquele que a los adolescentes esto les sucede de vez en cuando indicándoles que es una señal de que su organismo se está preparando para que, años más adelante pueda llevar una vida sexual activa. Aproveche para darle una breve plática sobre educación sexual.

El sexo resulta realmente interesante para los niños de doce, les gusta enterarse y bien. A los varones les gusta tener una persona de su confianza y del mismo sexo para hablar abiertamente sobre este tema. Normalmente no se acercan a los padres para recibir información o para despejar sus dudas y, si lo hacen suelen tenerle más confianza a su madre.

La información que él desea saber, en muchas ocasiones la recibe de sus amigos a través de chistes sexuales pero aún así todavía le quedan muchas dudas, es por eso la importancia de que nuestros hijos nos tengan confianza. Cuando nos hagan preguntas de tipo sexual, hay que contestárselas sin pena y de una manera sencilla, así no obtendrán una información equivocada a través de sus amigos que saben tanto o menos que él.

❤ Su estado de salud

En general es excelente, suele cansarse, sobre todo si aún no ha dado el estirón pues puede presentar algunos dolores en diversas partes del cuerpo, aunque con mayor frecuencia en la cabeza y en él abdomen. Dichos dolores son más comunes en las niñas. Les duelen los pies, principalmente los talones, los zapatos deben elegirse ahora con mucho cuidado ya que sus pies están en proceso de rápido crecimiento y, si se usan unos zapatos inadecuados, pueden provocar deformaciones en los pies, las cuales causarán problemas posteriores.

A algunos niños de doce años, les preocupa mucho su vista pues es común que sea en esta edad que se detecten algunos problemas de la visión viéndose en la necesidad de usar lentes que, para su desgracia, los hace verse menos agraciados. A esta edad los dentistas consideran que es conveniente para hacer, a los niños que lo necesitan, correcciones en su dentadura, pues hay niños que presentan los dientes chuecos o los colmillos encimados en los dientes o, por falta de espacio, el cincuenta por ciento de sus piezas dentarias están amontonadas.

La vida escolar

El entusiasmo es una cualidad que lo caracteriza, llegando a veces al extremo del apasionamiento. Ha entrado a una nueva etapa escolar, que es la secundaria, le gusta llegar a la escuela un poco antes de la hora de entrada para tener tiempo de charlar un rato con sus amigos, en esta etapa escolar va a identificarse con el amigo que quizá se convierta en el de toda la vida, pues será su confidente y su paño de lágrimas.

Las niñas siempre tienen muchas cosas de qué platicar, si observamos, nos daremos cuenta que ya no corren, ahora caminan del brazo de su amiga platicando. Las actividades sociales son mucho más importantes para las niñas.

A los doce los niños ya no dependen tanto de la maestra, pero la incluyen en sus actividades, llegan a estimar a su maestra aunque ya no la ven como semidiós como sucedía en la primaria, ahora ya ven a sus profesores como seres de carne y hueso, igual que él.

Se vuelve más exigente en cuanto a las clases que imparten sus maestros, aunque él sepa menos o desconozca por completo el tema, le gusta probar si sus profesores lo dominan, pero aún confían en ellos, los respetan y se les puede impresionar con facilidad.

Les sabe tomar la medida a sus profesores, si un maestro es demasiado indulgente, seguramente abusará de su bondad, pero si se topa con un maestro exigente o quizá hasta arbitrario, responderá a la

medida de las exigencias pues sabe que, de otra forma, tendrá verdaderos problemas.

En el salón de clases las niñas siguen juntándose con las niñas y los niños con los niños, especialmente durante los primeros meses del año escolar. Se concentran más en la realización de sus tareas escolares y, a los varones les atrae más la práctica del deporte.

Encontrará que hay materias difíciles de entender y confiará sobre todo en una buena memoria, absteniéndose muchas veces de estudiar ya que es capaz de asimilar todo con gran facilidad.

Por medio de los talleres escolares, el niño empezará a conocer sus aptitudes y habilidades lo cual le ayudará un poco a definir sus intereses de estudio en el futuro.

❤ Realicemos actividades con nuestros hijos

Tradiciones familiares. Arbol genealógico. En un pliego de cartulina, pida a su hijo que dibuje un árbol con muchas ramas y poco follaje. Reúna fotografías tamaño infantil ya sea a color o blanco y negro, de todos los miembros de la familia: primos, tíos, abuelos, etcétera.

En las ramas inferiores del árbol pida que coloque las fotografías de él, y sus hermanos y sus primos, en las ramas superiores inmediatas coloquen las fotografías de usted, su esposo, hermanos y cuñados, inmediatamente arriba, las fotografías de los abuelos paternos y maternos. Esta actividad puede servir

para que usted platique anécdotas de su infancia y del resto de su familia. Terminado el árbol genealógico puede colgarlo en la pared de su preferencia.

El libro de los abuelos. Compre una carpeta y en la portada escriba como título "Los Abuelos". Ayuden a su hijo a redactar notas sobre las cosas que sepan de ellos: su casa, su profesión, viajes, trabajos, deportes. Cuando vayan de visita con éstos, haga notas de las anécdotas que les cuenten de su juventud, lo mismo que de acontecimientos de relevancia mundial que hayan vivido.

Baile en familia. Nuestro temperamento, en general, es siempre alegre, hay que aprovechar esa alegría para ponernos a bailar de vez en cuando dentro de la misma casa, sin necesidad de ir a una fiesta. Esta actividad podrá ayudar a enseñarles a los jóvenes adolescentes a bailar, pues ya dentro de poco tiempo empezarán a asistir a fiestas de sus compañeros de escuela. Practique el baile y diviértase con sus hijos, serán ratos de esparcimiento que quedarán como un bonito recuerdo en su memoria.

Índice

Edición 3,000 ejemplares
JUNIO 1997.
IMPRESORA GONDI
Guerrero No. 446
Santa. Clara Edo. de México